Bewußt-Sein

Smaragd Verlag, Köln

Dawson Church

Zwiesprache

Kontakt mit der Seele
deines ungeborenen Kindes

Ein Praxisbuch
mit Übungen und Meditationen

Aus dem Amerikanischen
von
Regine Hellwig

In Liebe meiner Mutter und meinem Sohn
Dirk gewidmet – und L., den ich durch dieses Buch kennengelernt und liebgewonnen
habe.

Mein besonderer Dank gilt Marianne G. für
ihre engagierte Mitarbeit an der deutschen
Fassung.

Originaltitel „Communing with the Spirit of Your
Unborn Child
A Practical Guide to Intimate Communication With Your Unborn
Child or Infant Child"
Amerikanische Erstausgabe Aslan Publishing,
San Leandro, CA, USA
© 1988 Dawson Church
© der deutschen Fassung Smaragd Verlag Köln
Umschlagphoto von Stephen King
© 1990 Stephen King Fisikon, Schwanenhof D-6759 Wolfstein
Deutsche Erstauflage Mai 1990
Smaragd Verlag, Mara Ordemann,
Fridolinstr. 36, 5000 Köln 30,
Tel. 0221.557236 Telefax 0221.550 6871
ISBN 3-926374-15-2

Dieses Buch ist
Lloyd Arthur Meeker
gewidmet, dessen leidenschaftliche Liebe
den Pfad für die spirituelle Einweisung für
viele geebnet hat
und
William Martin Alleyne Cecil,
7th Marquess of Exeter
der den lebendigen Geist der Wahrheit in
seiner Art zu Leben in absoluter Form zum
Ausdruck gebracht hat

Danksagungen

Ich danke allen, deren Liebe und Ermutigung für uns persönlich so viel bedeutet und zur Fassung dieses Buches beigetragen haben: Nancy Bauer, Paula Begoun, Ken und Sherry Carey und der Geist von Greenwood Forest, Michael Exeter, Bill Hurst, Barbara Ingber, Jerry Kaiser, Kim Koenig, Linda Kramer, John und Nancy Krysko, Adele Leone, Rupert Maskell, Libby McGreevey, Cliff Penwell, Leonard Perillo, Roxanne Potter, Darlene Ravin, Sanaya Roman und Duane Packer, Bill Stroh, Charles Waltmire. Photographien von Michael Fong.

Inhaltsverzeichnis

Einführung

Ich hatte nicht vorgehabt, dieses Buch zu schreiben. Es kam über mich wie eine Eingebung – eine Botschaft des Himmels.

An einem klaren Winterabend, als ich zu den Sternen aufschaute, ganz erfüllt von der Ruhe der Rotholzbäume auf dem abgelegenen Berghang, wo wir lebten, hatte ich auf einmal das Buch im Kopf: Titel, Aufmachung, Vorwort – einfach alles.

Obwohl ich sehr beschäftigt war und zwölf bis vierzehn Stunden am Tag arbeitete, ließ ich alles stehen und liegen und fing an, das Manuskript zu tippen. Nach sieben intensiven Arbeitstagen war es fertig.

Meine Partnerin und ich waren zu dieser Zeit im vierten Monat schwanger.

Als kein Zweifel mehr an der Empfängnis bestand, begann ich, mit unserem ungeborenen Kind ‚Lichtmeditationen' zu machen, ähnlich wie sie in diesem Buch beschrieben sind.

Lange bevor eine sichtbare, physische Rundung die Existenz des Babys verriet, hatten wir eine unsichtbare, spirituelle Rundung gespürt! Mit der Zeit wurde ich mir der Seele des Kindes mehr und mehr bewußt. Dieses Gefühl verstärkte sich in zunehmendem Maße und damit auch unsere Verbindung mit dem Geist des ungeborenen Kindes. Ganz deutlich spürte ich die verborgene Kraft dieses Bandes. Lange vor der Geburt hatten wir zu der Seele unseres Babys eine Beziehung und ihr den Übergang in diese Welt erleichtert.

Als meine Kommunikation mit dem Kind häufiger und intensiver wurde, wurde mir die Einmaligkeit dieser Seele und der Sinn ihrer Inkarnation immer deutlicher bewußt.

Ich fing sogar die Schwingungen der Persönlichkeit dieses Wesens auf, dem ich auf der Erde einen freundlichen Empfang bereiten wollte; und schließlich erahnte ich auch, warum diese Seele für ihre Inkarnation gerade uns gewählt hatte.

In dieser Nacht unter dem Sternenhimmel war ich der Seele dieses neuen Wesens sehr nah, und in diesem Zustand schweigender Verbindung schien es mir, als ob sich die Seele unseres Babys öffnete. Intuitiv verspürte ich seinen Wunsch, mit anderen Eltern Verbindung aufzunehmen und ihnen die Möglichkeit eines bewußten, vorgeburtlichen Kontaktes mit ihrem Ungeborenen zu zeigen. Diese Seele wollte ausdrücklich den Weg auch für andere Eltern ebnen, damit diese mit ihren Kindern während der stillen Zeit der Erwartung Verbindung aufnehmen können.

Aber mehr noch: **Dieses Buch „Zwiesprache – Kontakt mit der Seele deines ungeborenen Kindes" enthält eine Botschaft, die für jeden Menschen auf der Erde gilt, nicht nur für künftige Eltern.** Dieses Botschaft lautet: Wir können völlig heil werden, ganz im Einklang mit uns selbst sein; genauso wie es möglich ist, in jedem Alter mit den Augen des ewigen Kindes zu sehen, voller Verwunderung, Ehrfurcht und Unschuld. Wir können angstfrei durch die Welt gehen, erfüllt von Liebe für unsere Umgebung, und dabei ständig in Wellen Segen und Heilkraft für alles und alle verbreiten. Es ist nie zu spät, ein Kind zu sein, egal, wie alt unser physischer Körper ist; eine geringfügige, aber radikale Änderung unserer Anschauungen läßt uns mit den Augen eines Kindes sehen und eine neue, magische Welt entdecken, voller Glanz und Schönheit.

Ihnen, liebe Leserinnen und Leser, übermittele ich diese Botschaft so, wie ich sie verstanden habe. Ich habe das in Worten aufgeschrieben, was ich damals mental aufgefangen habe. Wenn mir die Worte fehlten, habe ich nur den Stimmen gelauscht, die aus dem Schweigen zu mir sprachen.

Sollte einer von uns je das Kindliche verlieren, das auf ewig in unserem Herzen schlummert, so brauchen wir nur zu schweigen und in die Stille hineinzulauschen. Wir finden zu der Quelle zurück, zu dem Brunnen ganz tief in uns, aus dem die Kraft der Jugend neu zu sprudeln beginnt. Ihr machtvoller Fluß wird die Realität erneuern und beleben – Vergangenheit, Gegenwart und Zukunft.

1

Der Kosmos spricht zu uns

Erst in neuerer Zeit haben wir erkannt, daß unser Planet wie ein lebendiger Organismus funktioniert. Er besitzt ein Kreislaufsystem, das in seinen Meeren, den Wolken, dem Regen und den Flüssen gebildet wird; die großen Regenwälder arbeiten wie ein Atmungssystem, und auch sonst verfügt er über alle anderen Eigenschaften eines Lebewesens. In diesem irdischen Ganzen spielt der Mensch die Rolle des Gehirns, als Vermittler und Ordner der Informationen. Menschen sind der bewußte Teil der Erde.

Bis jetzt jedoch hat es die Menschheit noch nicht fertiggebracht, ihrer Verantwortung ihrem Planeten gegenüber nachzukommen. Bis jetzt hat die Menschheit nur zerstört und ein Paradebeispiel für Egozentrik abgegeben, als ob es nur um ihre Interessen ginge. Die Spezies Mensch hat sich verhalten wie ein krankes Organ und den ganzen Organismus ausgezehrt, um die Dinge zu bekommen, von denen sie, kurzsichtig wie sie ist, glaubt, sie wären gut für sie. Anstatt unseren Vorteil, einen Verstand zu haben, zu nutzen und zu bewahren, haben wir uns wie Killerzellen aufgeführt. Wir haben nur uns selbst gesehen und die ausgeklügelt erdachte Einheit des ökologischen Ganzen, in dem wir leben, außer acht gelassen. Mit unseren Handlungen, die von diesen krankhaften Voraussetzungen ausgehen, riskieren wir, unseren Heimatplaneten zu zerstören — und mit ihm uns selbst.

Aber diese ‚Takt-Losigkeit', mit der wir aus dem großen Rhythmus des Lebens hinausgetanzt sind, wird bald ein Ende haben. Alle Funktionsschemata, die nicht in Einklang mit dem ‚Großen Ganzen' stehen, sind auf lange

Sicht zum Scheitern verurteilt. Das Ende können nur Erschöpfung und Auslöschung sein. Die große Zeit des kurzlebigen Mutanten des Erdenmenschen ‚Homo Ignorans' ist vorbei; er wird in Kürze zur ewigen Ruhe gelegt werden, und niemand wird ihm auch nur eine Träne nachweinen.

Im Bewußtsein des Menschen dämmert ein Neuer Tag heran, und damit auch ein Neuer Mensch, und dieser lebt mit seinem Planeten in Harmonie; die Folge ist eine radikale Veränderung. Der Mensch findet den ihm gemäßen Platz in der Schöpfung. Diese zweite Renaissance ist der entscheidende Wendepunkt in der Geschichte unseres Planeten. Die Kinder der Zukunft werden fragen: „Wie war es möglich, daß sich die Menschen des 20. Jahrhunderts gegenseitig umgebracht haben?" Es wird ihnen genauso unbegreiflich vorkommen wie uns heute Folterbank, Halseisen und Daumenschrauben.

Das Leben im Kosmos arbeitet in gleichbleibender Harmonie. Nur in unserer seltsamen, abnormen Welt schafft die vorherrschende Spezies, nämlich der Mensch, Voraussetzungen, die für ihr eigenes Überleben und das der Gesamtheit schädlich sind. Von Zeit zu Zeit hat uns der Kosmos vorsichtig daran erinnert – durch Persönlichkeiten, die er als große Lehrer geschickt hat – um unser Bewußtsein dafür zu wecken, daß wir ein Teil dieses Planeten sind.

Wir haben genau so viele große Lehrer gehabt, wie die Spezies Mensch verkraften konnte. Jeder Prophet des gemeinsamen Weges hat den Menschen eingetrichtert, daß sie sich dem Leben anpassen müssen. ‚Homo Ignorans' jedoch hat, wie die Geschichte zeigt, immer wieder versucht, diese Botschaften aufzuweichen, indem er ihnen das Mäntelchen eines religiösen Dogmas umgehängt hat, – und die Botschaft verpuffte, nachdem der Mensch den Verkünder zum Gott erhob, seine Botschaft aber ignorierte.

14

Die unsterblichen Worte dieser Großen haben jahrhundertelang an die Tür unseres widerstrebenden menschlichen Bewußtseins geklopft. Jetzt, an diesem Punkt der Evolution, sind wir kollektiv reif für eine Umkehr im Denken – hin zu unserem verborgenen Wissen über den Kosmos und unserem Platz in der Schöpfung. Selbst denen unter uns, die die Sturheit gepachtet haben, wird allmählich klar, daß die alten Handlungsweisen nicht länger haltbar sind.

Vom Chaos zum Kosmos

Auf der guten alten Erde geschieht etwas völlig Neues: althergebrachte Handlungsweisen werden von neuen abgelöst. Der alte Weg war durch Unwissenheit gekennzeichnet – in dem Sinne, daß wir uns nicht bewußt waren, wie die Lebensprogramme und - rhythmen im Kosmos arbeiten.

Der neue Weg entsteht aus dem bewußten Wunsch, mit dem Rhythmus des Kosmos und der Natur des einzelnen im Einklang zu leben, mit dem großen Rhythmus der Dinge mitzuschwingen. Paradoxerweise entdecken wir unsere Individualität in all ihrem Reichtum nur, indem wir uns dem Ganzen anpassen.

Wenn wir in der Praxis des Alltags die ureigene Ordnung des Kosmos respektieren und nach seinen Grundsätzen leben, dann geschieht zweierlei: wir erreichen das Maximum des uns als Individuum Erreichbaren und bringen unser persönliches Leben in den Einflußbereich der allgemeinen Lebensordnung. Unser Alltagsleben birgt die Möglichkeit, den Teil mit dem Ganzen zu verbinden, das Irdische mit dem Göttlichen, das Physische mit dem Metaphysischen. Um dies zu lernen, erhalten wir Führung in Form von Lernhilfen all derer, die für das geistige Wohlergehen unseres Planeten verantwortlich sind – das schließt die wahre innere engelsgleiche Natur in jedem von uns ein. Einige dieser Lernhilfen sind metaphysische ‚Spielzeuge', mit denen wir spielen und die Grundmuster des Kosmos verstehen lernen können. Die Instrumente der persönlichen Transformation sind andere, sehr wirkungsvolle Mittel, mit denen man sehr sorgfältig umgehen muß. So beobachten wir ein wachsendes Interesse der Menschen an ‚Channeling', Kristallen und ähnlichen Dingen. Psychospirituelle Instrumente wurden aus Hinterhof- Kuriositäten zum großen Geschäft mit großem Profit. Gute Lehrer, schlechte Lehrer, und jede Menge mittelmäßiger Lehrer tummeln sich in diesem Metier. Bücher, Filme, gedruckte und elektronische Medien werden in der spirituellen Revolution zum Boom. Sie hat inzwischen die höchste Spitze der Regierungen erreicht.

Selbst die Weltreligionen, die traditionell immer die ersten sind, die etwas Neues ablehnen und die letzten, die spirituelle Neuschöpfungen annehmen, können sich dieser Entwicklung nicht mehr verschließen. Fundamentalisten, Traditionalisten, Orthodoxe, Modernisten und Reformierte finden im tiefsten Innern ihres Herzens Gemeinsamkeiten mit der Lehre ihres eigenen Glaubens. Die neue Bewegung hat jede Religion auf dem Globus mitten ins Herz getroffen; sie hat deren eigene Lehren, die seit langem unter dem Leichentuch der Liturgie geschlummert haben, im Innersten angesprochen und sie zu neuem Leben erweckt.

Alte und neue Lehrer

Für die Erneuerung der Erde inkarniert eine ganz neue Art von Lebewesen, die sich entschieden hat, physische Gestalt anzunehmen, um das Erwachen der Menschheit zu unterstützen. Diese neuen Menschen unterliegen nicht den Zwängen der letzten Generationen. Sie stoßen an die Grenzen aller kulturellen Formen. In der Vergangenheit haben solche Wesen nur gelegentlich Menschengestalt an-

16

genommen, um das Experiment Mensch am Laufen zu halten. Keine Zeit hätte eine zu große Zahl von ihnen verkraftet, denn die Reaktion der Menschen mit ihren alten, erstarrten Denkweisen wäre zu heftig gewesen. Hätte das Licht zu hell geleuchtet, wären die Menschen des alten Wegs aufgestanden und hätten versucht, das Licht von der Erde zu vertreiben. Die Folge wäre der schnelle Tod der gesamten Menschheit gewesen. Der Kosmos in seiner Weisheit hat den Menschen in der Vergangenheit Licht nur in dem Ausmaß gegeben, wie sie verkraften konnten. Nur ein wenig mehr – und sie wären geblendet und in den Abgrund gestürzt. Aber jetzt nimmt das Licht spürbar zu. Genügend ‚Treue' sind in den letzten Jahrhunderten standhaft geblieben und haben ein sicheres Netz gewoben, um dem Licht einen angemessenen Empfang zu bereiten. Jetzt ist es nicht mehr aufzuhalten, genauso wenig wie das gleißende Feuer eines Diamanten, das selbst durch den Stoff einer verschlissenen Manteltasche hindurch leuchtet.

Für diesen Plan schickt uns der Kosmos große Lehrer, aber nicht nur in den ‚Großen' wie Moses, Gandhi oder Laotse. Zu Dutzenden nehmen sie menschliche Gestalt an – in unseren Kindern, unseren Säuglingen, unseren Ungeborenen, unseren Föten. Sie kommen zu uns, um den Prozess der irdischen Evolution zu beschleunigen.

Wenn wir aber unseren Kindern die Lektionen von gestern beibringen – mögen sie auch noch so fortschrittlich sein – werden wir am Ziel vorbeischießen. Die Lektionen, die sie lernen müssen, sind gänzlich andere. Sie sind lebenswichtig und dürfen nicht durch die alten Formen der sogenannten Erziehung behindert werden. Selbst die fortschrittlichsten Erziehungsmethoden des 19. Jahrhunderts sind für ein Kind des 20. Jahrhunderts ungeeignet. Sie anzuwenden wäre genauso unsinnig, wie einen Ochsenkarren vor einen Triebwagen zu spannen.

Mag die Erziehung des späten 20. Jahrhunderts auch noch so fortgeschritten und aufgeklärt sein – für das Kind des 21. Jahrhunderts ist sie unsinnig.

Wie aber können wir als Eltern die Verantwortung dafür übernehmen, unsere Kinder zu versorgen und zu leiten? Das wichtigste, was wir ihnen mit auf den Weg geben können, ist die immerwährende Philosophie, die alles überdauernden Wahrheiten, die uns die großen Lehrer durch die Jahrhunderte hindurch vorgelebt haben. Wenn wir als Eltern ihnen die Lebensmuster vorleben und ihren Geist und ihr Herz in harmonischen Einklang mit der Wahrheit des Kosmos bringen, dann läuft der Rest der Erziehung von selbst. Vielleicht werden sie zu ihren eigenen Lehrern, wenn sie ein bestimmtes Wissen erlangt haben, und schreiben sich ihr eigenes Drehbuch für ihr Leben, von unserem Verständnis weit entfernt. Als Kind habe ich immer gedacht, die Erwachsenen würden mich nicht verstehen. ‚Sie wissen nicht, was es bedeutet, ein Kind zu sein‘, dachte ich, ‚aber wenn ich groß bin, werde ich mich daran erinnern. Ich werde zu meinen Kindern nicht so sein, wie sie zu mir sind. Ich werde sie so behandeln, wie ich jetzt behandelt werden möchte.‘

Würde ich jedoch heute versuchen, mit meinen Kindern so umzugehen, wie ich als Kind behandelt werden wollte, würde ich sie damit in ein altes, knarrendes abstraktes Korsett zwängen. In den dreißig Jahren zwischen meiner Kindheit und den Kindern der Zukunft hat sich die Welt verändert. Der Kosmos hat sich weiterentwickelt. Was für mich damals als Wahrheit galt, gehört heute zum Ochsenkarren- Stadium der menschlichen Entwicklung.

Ein Geschenk von den Sternen

Das Universum schickt uns Seelen, die dem Stand der menschlichen Entwicklung entsprechen. Es schickt uns keine Seelen, die im 19. Jahrhundert gebraucht worden wären – oder gar im neunten Jahrhundert. Es schickt uns Seelen des 21. Jahrhunderts, Boten des Lichts.

Schau in die Augen eines Neugeborenen, und du wirst dort Weisheit finden, eine Verbindung mit der All-Seele, die voll und ganz da ist. Unsere äußere physische Form hat sich nicht viel geändert — noch nicht. Ich nehme jedoch an, daß sie sich in Zukunft wandeln wird. Aber auch wenn das äußere Erscheinungsbild noch unverändert ist, der Geist der Neugeborenen ist ganz anders; von ihnen geht Licht aus.

Als Eltern sind wir verpflichtet, für Geist und Körper ein Klima zu schaffen, das dieses Licht möglichst hell erstrahlen läßt. In der ‚bösen alten Zeit' hat die Gesellschaft auf jedem erdenklichen Weg versucht, dieses Licht nach der Geburt zu unterdrücken. Das Kind wurde einem Prozeß unterzogen, der eigenartigerweise ‚Erziehung' genannt wird. Und das, was man dem Kind eingetrichtert hat, hieß ‚Religion'; die Folge war, das tief verwurzelte, angeborene Wissen des Kindes um einen Gott wurde erstickt. Dies geschah, indem man entweder die Erkenntnis, die das Kind in diese Inkarnation mitgebracht hatte, mit einem Wirrwarr sinnloser Rituale zudeckte und damit zu seiner Verdummung beitrug, oder die religiösen Inhalte in den sich widersetzenden Schlund hineinstopfte, bis sie hinuntergeschluckt wurden und Atheismus, jeglicher Reflexion beraubt, übrig blieb.

Die neuen Eltern dagegen sind auserwählte Hüter dieses Lichts. Elternschaft ist immer ein Sakrament. Es gibt keine Elternschaft, die nicht im ureigensten Sinne einen heiligen Akt darstellt. Eltern haben die Verpflichtung, alles zu tun, damit das innere Wesen des Kindes wächst; wenn auch das Potential von Geburt an vorhanden ist, so ist sich das Kind dessen noch nicht bewußt, hoffentlich aber die Eltern. Eltern, die ihre Aufgabe als Sakrament ansehen, also: ‚heilige Eltern', tun nichts, um diesem Potential im Wege zu stehen. Heilige Eltern lassen das Licht herein, das sich im Kind sammelt, damit der unbewußte Funke zum Zünden und Leuchten gebracht wird. Alle Eltern haben dem Kind gegenüber die nie endende Pflicht, das Licht zu sein, das Licht zu verkörpern.

Dieses Buch geht davon aus, daß Eltern mit ihrem ungeborenen Kind auf spiritueller Ebene Kontakt aufnehmen und einen festen Kanal zu ihm aufbauen können, damit die Bindung und das Verständnis wachsen. Dieser Prozeß wird ohne jeden Zweifel auch das spirituelle Verständnis der Eltern untereinander vertiefen.

Neuschöpfung der Erde

Unsere Kinder werden als neue Lehrer in unser Leben hineingeboren wiedergeboren und bringen dem kollektiven Unterbewußtsein der Menschheit eine Chance, Verständnis für die Prozesse des Lebens zu erlangen und sich weiterzuentwickeln. Zur Zeit geschieht dies beinahe schon explosionsartig. Die neugeborenen Wesen, die uns der Kosmos schickt, sind seine wirksamsten Mittel, unseren Planeten für das Neue Zeitalter vorzubereiten. Das Universum spricht zu uns in der Sprache der Zukunft, und die Worte der neuen Sprache sind unsere Kinder.

Diese Neugeborenen sind ein Geschenk der Sterne an uns. Sie sind die Menschen von morgen. Sie werden ihr Leben nicht nach den Regeln leben, die für uns gelten, und auch nicht nach denen unserer Eltern oder unserer Großeltern. Gott erschafft die Erde noch einmal, auch den Menschen – nach Seinem Bilde.

2

Der Empfang

Im Augenblick der Empfängnis wird eine Welt geboren, voll neuer Anlagen und Möglichkeiten. Die Chance für ein schnelles, beschleunigtes Wachsen ist gegeben, nicht nur im Föten, sondern auch im spirituellen Verständnis der Eltern. Einige Zeit nach der Zeugung wissen die Eltern, daß sie ein Kind erwarten. Nicht selten ahnt eine Frau unmittelbar nach der Empfängnis, daß sie schwanger geworden ist. Zu welchem Zeitpunkt auch immer sich die Schwangerschaft offenbart, in diesem Augenblick wird dem Paar bewußt: „Wir erwarten ein Kind!" Dies mag ein langersehntes Ereignis sein. Oder ein unerwartetes Unglück! Wie auch immer — spirituelle Elternschaft verlangt von uns im Moment der bewußten Erkenntnis der Empfängnis ein ganz bestimmtes Verhalten.

Und dieses Verhalten muß Ausdruck von Freude sein. Wenn unsere ersten Gefühle Panik, Aufregung, Zurückweisung, Bestürzung sind, dann entsteht ein Reaktionsmuster, das für die ganze Entwicklung des Kindes Bedeutung haben wird. Wenn die ersten Gefühle Freude, Annahme, Willkommen sind, dann entsteht durch diese Reaktion ein wunderbarer Energiestrahl, auf dem die Seele zu uns reisen kann. Das Kind weiß, ob es erwünscht ist oder nicht. Nur weil die äußere Form des kindlichen Geistes noch nicht entwickelt ist, so bedeutet dies nicht, daß nicht bereits ein gewisses Maß an Erkenntnis vorhanden wäre. Unser Geist weiß alles. Spirituell verfügen wir über alles Wissen, das so weit außerhalb des Begreifens unseres Verstandesbewußtseins liegt, daß wir verrückt würden, wenn wir versuchten, es zu verstehen. Der materielle, bewußte

Verstand kann die Dinge des Geistes nicht begreifen. Der Geist weiß alles. Wenn wir unser Tagesbewußtsein verlassen, nehmen wir Dinge wahr, die weit außerhalb der Wahrnehmungsmöglichkeit unseres Verstandesbewußtseins liegen.

Das bedeutet: unsere Verantwortung als Eltern beginnt mit dem Augenblick, in dem wir uns der Empfängnis bewußt werden. Mögen wir auch Panik, Bestürzung oder Unsicherheit empfinden, wir haben die Chance, diese Gefühle zu transzendieren. Mögen unsere Emotionen beim Bewußtwerden der Schwangerschaft auch noch so zwiespältig sein, wir sollten unseren Geist bereithalten für ein strahlendes Willkommen und Annehmen der neuen Seele.

Das ist der erste große Segen, den wir unserem Baby bringen können, unsere erste geistige Gabe. Andere werden folgen. Wenn aber dieses erste Geschenk freudig gemacht wird, dann entsteht die Grundlage für alles künftige Geben.

Wir sind dankbar, daß ein großer Geist zugestimmt hat, die physische Form unseres Kindes mit seiner Gegenwart zu beglücken, und daß dieses Kind uns für seine Inkarnation erwählt hat. Wir sind voller Dank: unsere Liebe hat als Vehikel gedient für die Körperwerdung eines Geistes, der gekommen ist – als Segen für die Menschheit.

Der Übergang

Der Übergang von der geistigen auf die physische Ebene wird für eine Seele leichter, wenn sie weiß, daß die von ihr für diese Inkarnation ausgesuchten Eltern alles ihnen Mögliche tun, um dieser Seele die Chance zur Vervollkommnung zu geben.

Wenn du einen Freund oder Verwandten besuchst, wie siehst du dem bevorstehenden Besuch entgegen? Wenn du weißt, daß du königlich empfangen werden wirst, daß alles nur Erdenkliche geschieht, damit du dich wohl fühlst, akzeptiert, in Frieden, dann freust du dich auf diesen Besuch. Wenn du aber weißt, daß deine Gastgeber schlechtgelaunt sein werden, egozentrisch mit ihren eigenen Belangen beschäftigt, unfähig, sich dem zu widmen, was um sie herum geschieht, dann wirst du den bevorstehenden Besuch wahrscheinlich als Belastung empfinden.

Dasselbe gilt für die Seelenebene. Wenn wir dem Geist unseres Kindes ein Gefühl des Willkommens vermitteln können, so wird dieses Gefühl die gesamte Inkarnation beeinflussen. Deshalb ist es so wichtig, in dem Moment, in dem die Schwangerschaft sicher ist, den roten Teppich auszurollen!

Vererbung und Umwelt

Was geschieht, wenn die irdischen Eltern bei der Nachricht von der Schwangerschaft nicht froh und glücklich sind? Was ist, wenn die Eltern das Kind nicht wollen – es als Belastung, als Ärgernis, als Störung empfinden?

Manchmal zieht sich eine Seele, die von den ausgesuchten Eltern in eine solche Lage gebracht wird, wieder zurück: sie inkarniert nicht. Das kann Fehlgeburt, spontan oder herbeigeführt, Totgeburt und vieles mehr bedeuten. Oder aber das Baby entscheidet sich, trotzdem auf die Welt zu kommen – egal wie. Die Seele kann viel verkraften. Viele von uns haben Eltern, die von zwiespältigen Gefühlen ergriffen oder sogar gegen unsere Geburt waren. Hofft die Seele, ihre Aufgabe trotz der fehlenden Annahme erfüllen zu können, wird sie gegen alle Widerstände dennoch inkarnieren. Der Geist kann alles überwinden. Mag die Ausgangssituation auch noch so verdreht oder problematisch sein, er kann sie in etwas Wundervolles verwandeln. Niemand braucht wie eine Ente durch das Leben zu watscheln, wenn er sich wie ein Adler in die Lüfte erheben kann. Warum vertrauen wir nicht unserer inneren Stimme, die sagt „du trägst ein göttliches Potential in dir", selbst wenn weder unsere Umgebung noch sonst jemand dafür Verständnis aufbringt. Allein der Glaube daran genügt, um unsere innere Schönheit zum Leuchten zu bringen. Die Träume von allem, was wir uns wünschen, können in Erfüllung gehen. Nichts und niemand kann uns daran hindern. Wir können immer unseren Background transzendieren, denn unser Geist hat ihn längst transzendiert. Sobald uns dies als Realität bewußt wird, und wir mit dem Geist eins werden, transzendieren wir unseren Background. Diese Realität ist immer gegenwärtig. Wenn ihr als Eltern nicht von Anfang an für die Empfängnis dankbar wart, sondern erst später in der Schwangerschaft Verständnis für die Gebote der spirituellen Elternschaft gewonnen habt, dann dankt jetzt! Jetzt, in diesem Moment, da ihr dies erfahrt. Der Dank für die Empfängnis ist zu jedem Zeitpunkt möglich. Und ein breiter Strom des Segens, ausgelöst durch diesen Dank, fließt zurück in der Zeit und heilt Wunden, die noch aus der Zeit der Empfängnis offen sind. Selbst wenn dieser Segen nicht in der linearen Zeit möglich war, in spiritueller Zeit ist er möglich. Spirituelle Zeit kümmert sich nicht um die Grenzen der linearen Zeit. Für den Geist gibt es keine Grenzen. Wenn er sich frei entfalten kann, wenn er in eine Situation hineinfließen darf, dann fließt er zurück in die Zeit und segnet uns vom Moment der Empfängnis an. Ein Augenblick der Erleuchtung bringt Erleuchtung für jeden anderen Augenblick. Im Moment der Erleuchtung wird jeder Augenblick unserer Leben – in Vergangenheit, Gegenwart und Zukunft – in Licht getaucht. Es fließt hinüber zu jedem, den wir kennen, jedem, den wir je gekannt haben, jedem, den wir in Zukunft kennen werden.

Vielleicht hast du Eltern, die nie für deine Inkarnation gedankt haben. Aber wenn du zuläßt, daß Dankbarkeit dein Sein durchflutet, dann segnest du deine eigene Vergangenheit. Der Geist wird dir Vater und Mutter und berührt deine Geburt mit heilender Hand.

Willkommen für das Ungeborene

Mit der folgenden Meditation kannst du entweder die Seele deines ungeborenen Kindes begrüßen oder hier und jetzt deiner eigenen Seele einen Empfang bereiten, was bedeutet: deine Seele wird auf dem gesamten Weg seit der Zeit deiner Empfängnis willkommen geheißen – egal, wieviele Jahre sie bereits zurückliegen mag.

Mach es dir in einem ruhigen, abgedunkelten Raum bequem. Sorge dafür, daß du für die nächsten 45 Minuten nicht gestört wirst. Wenn du die Kassette „Zwiesprache – Kontakt mit der Seele deines ungeborenen Kindes" * hast, verwende diese. Wenn nicht, lies entweder die Meditation oder sprich sie auf Band und spiele sie dann ab. Du kannst leise Hintergrundmusik laufen lassen, Musik, die nicht ablenkt. Wenn du eine besondere Meditationsmethode gelernt hast, meditiere eine Weile in dir vertrauter Weise, bevor du mit unserer Meditation beginnst. Du kennst deine eigenen Programme und Gewohnheiten. Tue alles, damit du völlig entspannt bist.

****

Erste Meditation

Schließe die Augen. Atme tief ein und aus. Stell dir mit jedem Atemzug vor, wie die Dinge, die dich bekümmern, die deinen Geist beschäftigen und die dich vom Hier und Jetzt ablenken, mit dem Atem aus deinem Körper herausfließen.

Atme ganz regelmäßig und laß mit jedem Atemzug ein wenig mehr von der Spannung heraus, bis dein Körper völlig entspannt und dein Gemüt ruhig ist.

Atme weiter aus und laß all die alte abgestandene Luft aus den Lungen heraus. Entspanne dich und atme reine frische Luft ein. Dies wiederhole mehrmals. Mit jedem Atemzug spürst du, wie die Spannung deinen Körper verläßt. Fühle beim Einatmen, wie frische Luft durch deinen Kopf streicht, über deine Gedanken, und alle Sorgen aus deinem Kopf vertreibt. Laß allen Ärger, alle Probleme los. Laß die kühle, weiße, frische Luft deine Enttäuschungen glätten und über die rauhen Stellen in deinem Leben hinwegstreichen.

Stell dir vor, wie dein Körper mit grüner Energie gefüllt ist. Diese grüne Energie ist die Spannung, die sich in deinen Muskeln und Organen angesammelt hat. Fühle, wie diese Energie in allen deinen Gliedern vorhanden ist. Beginne mit den Füßen. Mit jedem Ausatmen spürst du, wie die Energie aus den Füßen zurückfließt. Atme so oft aus, bis du die grüne Flüssigkeit aus jeder Ecke und jedem Winkel deiner Füße vertrieben hast.

Dann gehe zu den Waden, Hüften, zum Becken über und arbeite dich weiter nach oben. Nimm dir möglichst viel Zeit, bis jeder Teil völlig entspannt ist. Stell die Kassette so lange aus, bis du die Spannung aus jedem Teil deines Rumpfes herausgelassen hast.

Wenn deine Schultern völlig frei sind von dieser grünen Energie und sich jeder Teil deines Körpers ganz entspannt fühlt, betrachte die Energie in deinem Kopf. Beginne hinter den Schläfen und atme die grüne Flüssigkeit mit jedem Atemzug aus – solange, bis dein Kopf frei ist von dieser Energie und keinerlei Verspannungen zurückgeblieben sind.

Dann reinige Hals und Mund von dieser Flüssigkeit und spüre, wie entspannt dein Körper geworden ist.

Jetzt richte deine Aufmerksamkeit erneut auf jeden Teil deines Körpers und schau, ob du noch irgendwo Nischen mit Spannungsenergie findest. Suche all die versteckten Orte, wo sich die Spannung verborgen hält und laß sie ganz leicht mit deinem Atem herausfließen.

Während du weiter einatmest, stell dir eine strahlende, glänzende weiße Substanz vor, ähnlich wie Nebel. Sie ist voller Energie und Leben. Atme sie ein und spüre, wie sie jeden Teil deines Körpers berührt, verjüngt und glättet – deine Muskeln, deine Gefühle, deinen Geist. Laß sie über die Beulen streichen, die durch Kummer und Angst in der Vergangenheit entstanden sind. Vergiß alle deine Probleme und spüre, wie du von der

Erfahrung des Friedens und der Lebensfreude durchdrungen wirst.

Denke zurück an deine erste Begegnung mit einem Kind, das du wirklich geliebt hast – vielleicht einen Bruder oder eine Schwester, das Kind eines Freundes oder ein Kind, das dich mit Freude erfüllt hat, selbst wenn ihr euch nur einmal kurz getroffen habt. Wie dem auch sei – erinnere dich, wie wunderbar du dich in der Gegenwart dieses Kindes gefühlt hast: wie schön dieses Kind war, wie unschuldig, wie frisch, wie beseligend! Denke an all das Positive, das du bei diesem Kind gefühlt hast. Erinnere dich an alle Gefühle in der Gegenwart dieses Kindes. Danke für das Geschenk dieses Kindes auf der Erde, wo immer es jetzt auch sein mag.

Nun stell dir die Seele dieses Kindes vor. Sieh, wie sich die Essenz des Geistes in diesem Kind konzentriert. Stell dir die große und tiefe Präsenz vor, die sich hinter der materiellen Form dieses Kindes verbirgt. Verschmelze dich mit der Präsenz des Kindes. Danke für diese Präsenz.

Jetzt stell dir vor, wie sich das Gesicht des Kindes mit deinem Gesicht mischt, mit deinem Gesicht, als du ein Kind warst. Sieh dich selbst voller Wunder, während du dich an deine Kindheit erinnerst. Sieh all das Potential in dir selbst, das du in diesem imaginären Kind gesehen hast. Halte dieses klare Bild deines Selbst fest, mische es mit allem, was bei dem idealen Kind schön und vollkommen war. Spüre die große Seele, die in diesem kleinen Körper wohnt. Spüre, wie diese wundervolle Seele den Körper mit vibrierendem Licht erfüllt, so daß jede Zelle vor Dankbarkeit singt. Spüre die Gegenwart Gottes, die den Körper dieses Kindes wie einen Mantel einhüllt und es vor jedem Schaden bewahrt.

Jetzt stell dir vor, wie du noch jünger warst. Werde jünger und jünger, bis du dich selbst bei der Geburt siehst – und jetzt gehe noch weiter zurück. Fühle, wie es war, im Mutterleib zu sein, wie sicher und behaglich, wie beschützt und geborgen du dich gefühlt hast. Genieße es, in der Flüssigkeit dieses ruhigen Ortes herumzuschwimmen.

Werde noch jünger. Werde kleiner und gehe zurück in der Zeit bis zu den ersten Zellen, und noch weiter, bis du eine einzige Zelle warst. Plötzlich strömt von oben ein strahlendes Licht herein, ein Strom aus Licht, voller Güte und Liebe. Es ist der Geist, wie er in deine Gestalt inkarniert. Er füllt dich mit Wohlbehagen. Plötzlich fühlst du dich wie im Himmel, wie ein Engel. Erfahre dich selbst als Teil von zwei Welten: der Zelle – der irdischen, und des Geistes – der göttlichen Welt. Spüre die außerordentliche Spannung dieser Dualität.

Spüre, wie deine Seele für die unschätzbare Gelegenheit einer neuen Inkarnation dankt. Viele Jahre lang war deine Seele nicht inkarniert. Jetzt hat sie die Chance, in Gestalt von Materie auf der Erde schöpferisch zu werden. Und der erste Akt dieser Schöpfung ist es, dich, den Proto-Fötus, zu schaffen! Du bist der erste schöpferische Akt manifestierter Liebe! Du bist voller Aufregung und Dankbarkeit.

Dieses kostbare Wissen ist fest in deinem Bewußtsein verankert, dieses Glück der Göttlichkeit – und jetzt gehe wieder nach vorne in der Zeit, laß deine Zellen wachsen und sich zu einem Baby entwickeln – und dann die Geburt. Bringe dieses göttliche Licht in deine Geburt. Segne deine Geburt mit der Weisheit und dem Mitgefühl deines eigenen Geistes.

Dann geh weiter bis zu deiner Kindheit. Erinnere dich all der wunderbaren Tage, die du erlebt hast, der Erfolge, auf die du stolz warst. Laß den Glanz der Göttlichkeit durch diese Augenblicke schimmern.

Und jetzt denke an das schlimmste Erlebnis deiner Kindheit. Das Erlebnis, das dich am meisten erschreckt hat; das schrecklichste Trauma, das du je erfahren hast. Fühle dich so, wie du dich damals gefühlt hast. Erlebe all dieses Leid noch einmal.

Jetzt bringe dein Licht, das Licht des Geistes, in dieses Erlebnis. Tröste das leidende Kind. Bringe die geballte Kraft deiner Göttlichkeit zum Tragen. Laß das Kind deine Gegenwart spüren, laß es spüren, daß alles, was geschieht, richtig ist. Wisch die Tränen weg. Wasch den Kummer fort im fließenden Strom deiner Liebe. Wenn das Kind glücklich und getröstet ist, suche

eine andere ähnliche Situation. Wiederhole denselben Vorgang.
Tröste das Kind und gib ihm Kraft.

Und so zieht Schritt für Schritt das ganze Leben vor deinen
Augen vorüber. Wenn du Verletzungen findest, schicke dein
göttliches Selbst mit einem endlosen Strom heilender Liebe dort-
hin. Erkenne, wie deine Seele deine materielle Gestalt bis zu dem
Punkt geformt hat, an dem du nun stehst. Heute kannst du die
Seele sehen und wirklich erfahren. Dies ist das größte aller
Wunder – du kannst deine Einheit mit deinem eigenen göttli-
chen Selbst erkennen und erfahren!

Das Göttliche in dir heißt deinen physischen Körper willkom-
men. Die göttliche Präsenz umarmt jede Stufe deines Lebens. Sie
dankt für das Wunder deiner Empfängnis, deiner Geburt und
deines Überlebens. Du spürst das unendliche Gefühl der Dank-
barkeit, das deine Seele im Augenblick der Empfängnis empfun-
den hat. Geh zurück und segne diesen Augenblick.

Wenn du bereit bist, in deinen Körper zurückzukehren, werde
dir wieder deiner Atmung bewußt. Werde langsam gewahr, wie
du einatmest und ausatmest. Spüre, wie entspannt sich dein
Körper fühlt, wie erfrischt. Werde dir des Raumes bewußt, in
dem du bist. Während du aufstehst und umherzugehen beginnst,
halte dieses Gefühl der Dankbarkeit fest, auf Erden zu sein. Halte
es den ganzen Tag über aufrecht und laß es in alle Aktivitäten
dieses Tages hineinfließen.

****

Die obige Meditation soll den Erwachsenen auf den
Kontakt mit dem Kind vorbereiten. Erst wenn wir unser
Verhalten angepaßt und unser Herz zur Ruhe gebracht
haben, wird ein vollkommener Energiestrom des Willkommens durch uns zu dem Ungeborenen fließen. Es ist
wichtig, unser schöpferisches Inneres von Ablenkungen,
Spannungen und Einschränkungen frei zu halten, sonst
wird ein Teil unserer Aufmerksamkeit in diese Bereiche
abweichen, und wir sind nicht voll und ganz darauf konzentriert, unser Baby willkommenzuheißen. Erst wenn wir
unser Bewußtsein auf diese Art und Weise vorbereitet

haben, sind wir ,ganz im Hier und Jetzt' und können unsere volle Aufmerksamkeit darauf richten, den Geist des Kindes zu begrüßen. Die Zweite Meditation sollte nach Beendigung der Ersten Meditation folgen und sich auf das Willkommen konzentrieren.

Die ersten drei Abschnitte der Zweiten Meditation sind eine gekürzte Fassung der Entspannungsübung zu Beginn der Ersten Meditation. Liegt zwischen den beiden Meditationen eine längere Zeit (mehrere Stunden) oder eine intensive Beschäftigung mit anderen Dingen, ist es sinnvoll, die längere Fassung des Entspannungsteils aus der Ersten Meditation zu verwenden, bevor mit der Zweiten begonnen wird.

****

Zweite Meditation

Schließe die Augen. Atme tief ein und aus. Stell dir mit jedem Ausatmen all die Dinge vor, die dich belasten, die dich beschäftigen, die dich vom Hier und Jetzt ablenken. Stell dir vor, wie sie mit dem Atem aus deinem Körper herausströmen.

Atme immer regelmäßiger und gib mit jedem Atemzug ein wenig mehr von der Spannung ab, bis dein Körper völlig entspannt und dein Geist ruhig ist.

Jetzt stell dir beim Einatmen eine helle, glänzende weiße Substanz vor, etwa wie Nebel. Sie ist voller Energie und Leben. Atme sie ein und spüre, wie sie jeden Teil deines Körpers erfüllt, deine Muskeln verjüngt und deine Gefühle, deinen Geist glättet. Laß sie über all die Beulen streichen, die Sorgen und Kummer in der Vergangenheit verursacht haben. Vergiß alle Probleme, die dich belasten und spüre, wie dein ganzes Sein mit dem Gefühl des Friedens und der Lebenskraft durchströmt wird.

Halte deine Hand über den schwangeren Uterus und fühle die Gegenwart des Kindes. Spüre die Energie, die von dem Kind auf deine Hand ausgeht. Spüre, wie dein eigener Geist zum Kind zurückstrahlt. Fühle die wechselseitige Zuneigung zwischen euch beiden.

Mach dir vor deinem geistigen Auge ein Bild vom Körper des Kindes in all seinen Einzelheiten, selbst wenn der Fötus erst wenige Wochen alt ist. Stell dir den Kopf, den Oberkörper, die Lenden vor. Und jetzt denke dir ein glühendes Licht in der Mitte der Brust, wo sein Herz schlägt. Sieh die Liebe, die in diesem Herzen wohnt. Dein Herz beginnt, in liebevoller Antwort zu glühen, dein Herz schlägt in Harmonie mit dem Herzen des Embryos.

Jetzt stell dir ein Bündel strahlenden weißen Lichtes vor, das von euren glühenden Herzen bis in den Himmel steigt. Es ist der Strahl, der den Geist in den Körper leiten wird. Er ist dein Signal für die Seele, daß sie willkommen ist, daß du für sie bereit bist und auf sie wartest. Dieses helle Licht leuchtet der Seele auf ihrem Weg, so daß sie den Körper des Kindes finden kann. Während die Seele auf dem Pfad des Lichtes zum Körper reist, steigt mit ihr eine Wolke von Liebe und Energie herab. Du kannst ihre Präsenz spüren. Das Baby kann ihre Präsenz spüren. Du fühlst, wie dein Körper auf die Seele des Kindes mit Liebe und Willkommensfreude antwortet. Danke der Seele, daß sie dich für ihre Wiedergeburt erwählt hat. Danke für diese deine Rolle, die du bei der Inkarnation der Seele spielen darfst.

Wenn die Seele mit dem Körper des Kindes verschmilzt, verblaßt das Licht allmählich und verliert an Kraft, bis nur noch ein heller Schein das Ungeborene umhüllt. Mit diesem Schimmer, der sich als Schutzmantel um das Baby gelegt hat, wird dir deine Atmung wieder bewußt. Du spürst, wie du ein- und ausatmest, ein und aus, ein und aus. Du fühlst dich unglaublich wohl. Dein Körper fühlt sich erfrischt und verjüngt.

Werde dir wieder des Raumes bewußt, in dem du bist. Das Gefühl der Dankbarkeit wird den ganzen Tag über bleiben. Während des ganzen Tages kannst du, wann immer du willst, deine Verbindung zu dem Baby als ein strahlend weißes Band spüren, das dich mit dem Baby verbindet. Über dieses Band fließen Liebe und Segen. Laß während des weiteren Tages bei jedem Gedanken an das Baby das Gefühl der Dankbarkeit, der

Willkommensfreude und der Zuneigung über dieses Band fließen.

****

Es ist nie zu spät für ein Willkommen. Du kannst jederzeit lernen, für das Wunder deiner Geburt zu danken, für das Wunder der Geburt deines Kindes, und damit dankst du dem Geist, daß er in die Welt gekommen ist. Und wenn dieses Gefühl der Willkommensfreude den Geist erwartet, strömt er in die Welt, und die Welt verwandelt sich in strahlenden Glanz.

---

* Bisher nur im Amerikanischen, deutsche Fassung in Vorbereitung.

3

Die Gebärmutter

Die Gebärmutter ist der Ort, wo sich die Schwangerschaft auf der physischen Ebene abspielt. Es ist ein Ort des Schutzes. Dort können die Prozesse zur Bildung des physischen Lebens störungsfrei ablaufen. Dort kann ein neues Wesen wachsen und in völliger Sicherheit und Geborgenheit reifen. Die Gebärmutter ist ein außerordentlich leistungsfähiges Organ und bietet dem Embryo Schutz vor Verletzungen und den Schocks der materiellen Welt draußen. Es ist ein sicherer Ort, wo nichts hineinkommt, was nicht zur Entwicklung des physischen Lebens gehört.

Von der Empfängnis bis zum Tod ist die Gebürmutter wahrscheinlich der sicherste Ort, den es überhaupt gibt. Haben wir ihn erst einmal verlassen, drohen uns alle möglichen Gefahren. Vielleicht finden wir uns in einer despotischen Gesellschaft mit ihren unberechenbaren Launen wieder, deren Regeln nicht die Regeln des Königreichs 'Leben' sind. In der Höhle der Gebärmutter werden die uns angeborene Schönheit und Kreativität nicht erstickt, wie es so oft in der Kindheit geschieht.

Es ist daher kein Wunder, daß sich Patienten, müde von der harten Lebensschule, bei Rückführungen oder Hypnosetherapien häufig nach dem Mutterleib zurücksehnen. Es ist nicht so sehr der physische Mutterleib, den sie vermissen, sondern das Gefühl der Geborgenheit.

Hast du jemals einen japanischen Bonsai gesehen? Das sind ausgewachsene Bäume, wenn auch vielleicht nur 30 cm hoch. Sie werden klein gehalten, indem man ihre Äste mit Draht umwickelt und ständig die neuen Spitzen an den Zweigen beschneidet. Sie werden in die Form gebogen, die dem Gärtner am besten gefällt.

Jedes Saatkorn trägt die Idealform der ausgewachsenen Pflanze in sich. Läßt man die Saat reifen, ohne sie zu verformen, entfaltet die ausgewachsene Pflanze die ganze Pracht und Schönheit, die in der Saat vorgegeben war. Bedeckt man jedoch die Pflanze während des Wachstums immer wieder mit Steinen oder werden ihre sprießenden Zweige durch äußere Gewalt verbogen und verformt, so enthüllt das Ergebnis nicht das volle Potential, das in der Saat geschlummert hatte.

Dasselbe geschieht mit den meisten Kindern. Ein Erziehungssystem, das mechanisches Auswendiglernen betont – ein Verfahren, viele Kinder in Leistungsstufen zu pressen – erstickt jegliche Initiative. Die wachsenden Formen werden von den elterlichen Erwartungen, dem gesellschaftlichen Druck, den Launen einer verrückten Gesellschaft verbogen; Arbeit, die Ehe und all der andere Druck des ausgehenden 20. Jahrhundert vollbringen dann den Rest. Kein Wunder, daß wir mit Sehnsucht an den Mutterleib zurückdenken. Es war eine herrliche Zeit ungehinderten Wachstums, bevor uns die Unzahl der Verformungen traf!

Blick hinter den Schleier

Denke dir einen Augenblick lang eine andere Welt aus, eine Welt voller Geborgenheit und voller Streben nach Wachstum, wie sie im Mutterleib war. In dieser gedachten Idealwelt bleibt der Schutz ein ganzes Leben lang bestehen, das Leben vollzieht sich in einem Nest aus Liebe. Hier wird die Schönheit, die einem jeden Menschen angeboren ist, nicht durch die mißgünstigen Winde der Welt draußen verbogen und zerstört, sondern sie wird gehegt und gepflegt, damit sie zu voller Blüte reifen kann. Jeder Mensch ‚blüht' auf seine eigene Art und Weise. Niemand wird niedergedrückt, abgelehnt oder in die Form einer ange-paßten Kultur gepreßt. In dieser gedachten Welt ist der ‚Spirituelle Schoß' verwirklicht. Jeder Mensch kann sich so entwickeln, wie es ihm gemäß ist. Das wunderbare Potential in jedem einzelnen wird frei, und die völlige Entfaltung der besonderen Gaben eines jeden Menschen wirkt sich als Segen für die ganze Menschheit aus.

Die Forschung hat in den letzten Jahren die Entwicklung des Embryos immer eingehender untersucht und dabei herausgefunden, daß gewisse Sinneswahrnehmungen schon im Mutterleib möglich sind. Psychologen, die sich mit den Geschehnissen vor der Geburt beschäftigen, haben entdeckt, daß sich Erwachsene Jahre später an Dinge erinnern, die sie nur im Mutterleib gehört haben können. Der Fötus beginnt nicht urplötzlich erst in dem Moment, in dem er den Mutterleib verläßt, gefühlsmäßige Erfahrungen zu machen. Seine Sinne arbeiten bereits lange vor der Geburt und nehmen begierig Botschaften von der Welt draußen auf.

Mit wachsendem spirituellen Verstehen erkennen wir, daß geistige und unsichtbare Kräfte genauso in den Mutterleib gelangen wie physische Phänomene. Schallwellen, Emotionen und Gedanken gehen direkt durch die Materie des Körpers hindurch und berühren und beeinflussen das Kind in seinem Wachstum.

Vision des Inneren Auges

In dem Kulturbereich, in dem wir leben, haben wir hauptsächlich mit der Materie der Dinge zu tun, so daß es uns zur Gewohnheit geworden ist, alles, auch die Geburt, von dieser Warte aus zu sehen. Wenn wir jedoch unser Bewußtsein verändern und uns durch Metamorphose in den ‚Homo Spiritualis' verwandeln und die nächsthöhere Ebene erreichen, nehmen wir die spirituelle Dimension

35

und ihre Bindung an die physische Ebene bewußt war, und damit auch, wie sich beide durchdringen.

Wir sehen menschliche Wesen nicht mehr nur in ihrer äußeren Form, sondern erkennen die innere Realität der Dinge, indem wir uns nicht mehr nur auf unsere physischen Augen als primäre Informationsquelle verlassen. Wir sehen mit den Augen des Geistes und entdecken oft Feinheiten, die weit außerhalb des Bereichs unserer physischen Sinne liegen. Wir erkennen den Kern der Dinge, den die Augen unseres physischen Körpers nicht sehen. Schau dir eine Eichel an, was siehst du? Das unwichtige Äußere. Jedoch mit den Augen des Geises gesehen, enthüllt sich das ganze Potential und die Eiche in all ihrer Schönheit wird sichtbar.

Auf ähnliche Art und Weise erkennen wir, daß der physische Mutterleib nicht alles ist. Er ist der Beginn. Durch ihn hindurch schimmert eine größere Realität: der Spirituelle Schoß. Der Spirituelle Schoß birgt all die Qualitäten, die wir mit dem physischen Mutterleib verbinden: Geborgenheit, Sicherheit, Frieden, Ruhe, Wachstum, Schutz. Der Spirituelle Schoß läßt sich vielleicht wie folgt definieren: der Ort, an dem die Prozesse des Lebens ungestört ablaufen.

Jedes schwangere Paar ist für die Entwicklung und das Wohlergehen dieses Geistes verantwortlich, und zwar der Mann genauso wie die Frau. Sieh dir ein schwangeres Paar an! Mit den physischen Augen gesehen, hat nur die Frau den Schoß. Wenn wir jedoch mit den Augen des Geistes sehen und den Spirituellen Schoß erkennen, wird uns klar, daß beide, Mann wie Frau, für die Entwicklung und das Wohlergehen des Spirituellen Schoßes verantwortlich sind.

Frieden wählen heißt: keinen Krieg wählen

Hier hat der Mann eine besondere Verantwortung. Die Frau ist primär auf der physischen Ebene verantwortlich, der Mann hingegen auf der spirituellen. Der Spirituelle Schoß ist ein Ort, den auch er in sich trägt, und den er sehr sorgfältig hütet. Dazu gehört, daß weder negative noch destruktive Gedanken und Gefühle dort eindringen dürfen. Un-heile Gedanken durchstreifen das Bewußtsein eines jeden Menschen, sie kommen aus dem Unterbewußtsein des einzelnen, dem Kollektivbewußtsein oder von wo auch immer. Aber wir dürfen ihnen in unserem physischen Körper kein Zuhause geben. Wir haben die Möglichkeit, NEIN zu sagen! Wir lasssen sie zu, wir erlauben ihnen aber nicht zu bleiben und schon gar nicht, sich bei uns häuslich einzurichten. Wenn wir ihnen Unterschlupf gewähren, beflecken wir die Reinheit des Spirituellen Schoßes.

Ein Beispiel: Das Denkmuster eines Mannes in Bezug auf seine Partnerin sieht vielleicht so aus: „Ich mag es nicht, wenn du mit dem Fuß auf der Kupplung fährst. Es macht mich wütend!" Ein Mann, der sich während der Schwangerschaft vorbildlich um den Spirituellen Schoß kümmert, wird versuchen, sich diese Dinge, die ihn aufregen, bewußt zu machen und sich selbst verbieten, darauf zu reagieren. Er baut eine Atmosphäre der Harmonie auf, die bestehen bleibt, solange das Kind aufwächst.

Das sind genau die Situationen, in denen es darauf ankommt, die innere Ruhe zu bewahren. Ärger ist Ausdruck des Lebens, das uns sagen will: „Hier ist ein Bereich, der besonderer Aufmerksamkeit bedarf, in der die Macht des Friedens, der Harmonie und der Freude fehlt. Ich lasse dich dies spüren, damit du dein unbedachtes, eingefahrenes Verhalten änderst. Also höre auf, die spirituellen Bomben hochgehen zu lassen, die die kreative Entfaltung in deinem Leben und dem der Menschen um dich herum stören. Diese Irritation ist meine Art, dir diesen unheilen

Teil deines Selbst bewußt zu machen, damit du ihn segnen und heilen kannst."

Alles, was in einer Beziehung zwischen zwei Menschen den Frieden stört, hat in einer Schwangerschaft nichts zu suchen. Der Spirituelle Schoß ist das allerwichtigste. Wenn die betroffenen Menschen ihrem Ärger nachgeben, so wirkt dieser wie schwirrende Pfeile, die in den Fötus geschossen werden. Sie verhindern die gesunde geistige Entwicklung des Kindes.

Nur in deinem eigenen Kopf und im Herzen kannst du den Spirituellen Schoß bewahren. Du hast die Möglichkeit, schädigende Verhaltensweisen zu unterlassen. Der Spirituelle Schoß liegt in dir selbst. Du bist Hüter dieses Ortes des Lächelns und der Sicherheit, wo dein eigenes spirituelle Potential und das deines Kindes wachsen können. Die Natur hat für eine Steuerung gesorgt, du mußt nur aufpassen, damit du sie nicht verlierst. Dinge, die dort nicht hineingehören, sollten draußen bleiben. Die Gebärmutter ist ein sorgfältig gehüteter Ort, an dem nur Platz sein sollte für Willkommen, Freude und Frieden.

Zur friedebringenden Kraft werden

Der Mann braucht also bei der Schaffung des Spirituellen Schoßes nicht tatenlos zuzusehen. Wenn er sich des Spirituellen Schoßes bewußt ist, wenn er Verantwortung für die Atmosphäre in seiner Familie übernimmt – dann ist er ein Mit-Schöpfer des Nestes, in dem das Leben wachsen kann. Während der Schwangerschaft muß die Seele des Kindes viele verschiedene Schwingungsfaktoren sammeln, die sie im späteren Leben braucht. Die Seele kann ihr Haus des Geistes ohne Störung nur dann bauen, wenn diese unsichtbaren Schwingungsfaktoren nicht durch Pfeile wie Enttäuschung, Ärger, Zweifel oder ähnliches gestört werden. Hat sie jedoch mit den unkontrollierten negativen Emotionen der Eltern zu kämpfen, so spürt sie, daß ihr die freudige Annahme fehlt. Der Spirituelle Schoß ist somit ein geheiligter Ort in Kopf und Herz von Mutter und Vater.

Die folgende Übung soll helfen, den Spirituellen Schoß zu spüren. Suche dir einen abgedunkelten, ruhigen Raum – alleine oder zusammen mit deinem Partner. Mach es dir zuerst einmal bequem. Wenn du die Meditationskassette „Zwiesprache – Kontakt mit der Seele deines ungeborenen Kindes" besitzt, dann laß sie leise laufen. Wenn nicht, sprich die folgende Übung auf eine Kassette und spiele sie dir vor oder laß dir von deinem Partner den Text langsam und sanft vorlesen.

****

Übung

Spüre, wie wohl sich nun dein Körper fühlt. Und während du ein- und ausatmest, folge dem Rhythmus deines Atems. Laß deinen Atem allmählich ruhiger werden. Während er langsamer und tiefer wird, stell dir vor, wie mit jedem Atemzug alle Spannungen des Tages herausströmen. Dein Atem fließt ein und aus und nimmt alle Spannungen mit; weich und entspannt wird dein Körper. Atme aus und presse die alte verbrauchte Luft aus deinen Lungen heraus. Entspanne dich und laß reine, frische Luft herein. So atme mehrmals ein und aus. Spüre, wie sich mit jedem Ausatmen die Spannung deines Körpers löst. Während du einatmest, spürst du, wie frische Luft durch deinen Kopf und deinen Geist strömt und alle Sorgen wegbläst. Laß sie los, alle deine Sorgen, Kümmernisse, laß sie im Nichts verschwinden. Laß die kühle, weiße hereinströmende Luft über deine Enttäuschungen hinwegstreichen und die rauhen Stellen in deinem Leben glätten.

Stell dir vor, wie dein Körper mit grüner Energie gefüllt ist. Diese grüne Energie ist die Spannung, die sich in Muskeln und Organen aufgestaut hat. Sieh, wie diese Energie bis in alle deine Glieder reicht.

Beginne mit den Füßen. Mit jedem Ausatmen spürst du, wie die Energie zusammen mit dem Atem aus den Füßen fließt. Atme möglichst oft aus, damit diese grüne Flüssigkeit aus jedem Winkel und aus jeder Ecke deiner Füße herausgedrückt wird.

Dann geh hinauf bis zu den Lenden, Hüften, dem Becken und arbeite dich weiter nach oben. Wenn du die Schultern ganz von dieser flüssigen grünen Energie gereinigt hast und sich jeder Teil deines Körpers entspannt und wohl fühlt, dann gehe weiter zum Kopf, und auch dort wirst du die grüne Energie finden. Beginne am hinteren Teil des Schädels und stoße die grüne Energie mit jedem Atemzug aus. Atme immer weiter und weiter, bis selbst die kleinsten Nischen des Kopfes frei sind von dieser grünen Energie und keinerlei Verspannungen übrig geblieben sind.

Zum Schluß reinige deinen Hals und deinen Mund von dieser Flüssigkeit und spüre, wie völlig entspannt dein Körper jetzt ist. Und nun gehe noch einmal durch deinen Körper hindurch und schau, ob es noch irgendwelche Nischen mit Spannungsenergie gibt. Suche die geheimen Stellen, wo sich die Spannung immer noch versteckt hält und blase sie mit dem Strom deines Atems heraus.

Halte deine Hand oder beide Hände etwa 30 cm über den Uterus. Und nun male dir das Kind in deinem Leib in allen Einzelheiten aus. Denke, du kannst es ganz deutlich sehen – mit den Augen deines Geistes. Stell dir den Körper des Babys vor. Während deine Hand über dem Leib schwebt, kannst du fühlen, was im Leib vor sich geht. Was spürst du in deiner Hand?

Nun stell dir um das Baby eine Hülle vor, etwa 30 cm oder mehr vom Körper des Babys entfernt. Dies ist der Spirituelle Schoß, in dem die Seele, während das Baby wächst, die Schwingungssubstanzen an sich zieht, die das Ungeborene umgeben. Welche Farbe ist am stärksten? Welche anderen Farben siehst du? Bewegt sich der Fötus? Zappelt er? Oder ist er ruhig?

Jetzt stell dir vor, wie ein Strom strahlenden Lichtes von deiner Hand zu der Hülle um das Baby fließt. Stell dir dieses Licht als einen Strom des Segens vor, der sich von dir zum Geist des Ungeborenen ergießt. Antwortet das Baby darauf, irgendwie? Wenn nicht, gut. Wenn ja, was tut es?

Bewege deine Hand über die Oberfläche der Hülle, berühre sie an jeder Stelle, als ob du das Kind streicheln würdest. Du streichelst das Energiefeld deines Kindes. Du glättest die scharfen Kanten und überträgst durch deine Hand Liebe und Bestätigung. Du heißt diese Seele auf der Welt willkommen. Laß die volle Kraft deiner Liebe durch diese Hand strömen. Spüre, wie sich die Intensität des Augenblicks verstärkt, während du deine Liebe über dem Kind ausgießt. Spüre, wie die Liebe zu dir zurückströmt, zurück zu dir über deine Hand. Spüre, wie sich die Intensität verstärkt, während ihr eure Liebe austauscht.

Spüre die Größe des Geistes, die sich hinter dem Ungeborenen verbirgt. Danke der Seele, daß sie diesen Körper mit ihrer Gegenwart segnet. Danke dem Augenblick der Empfängnis. Nimm die Liebe und die Beschwingtheit des jetzigen Augenblicks an die Hand, halte sie fest und reise mit ihnen auf dem ganzen Weg zurück, den der Fötus während seiner Entwicklung gegangen ist – zurück bis zur Empfängnis, und hülle ihn an jeder Stufe mit Liebe ein. Stell dir vor, wie diese Liebe des Spirituellen Schoßes auf die Zukunft weiter wirkt, auf eine sichere Geburt in Liebe. Stell dir das Kind ganz genau vor, vom ersten bis zum neunten Monat, geborgen im Spirituellen Schoß der Liebe, den du geschaffen hast.

Bewege deine Hände sanft nach innen und nach außen, nach innen und nach außen, als ob du einen Ballon dehnst und wieder zusammendrückst. Spüre, wie sich die Energie von deinen Fingern löst und in die Hülle eindringt, während du das Kind segnest und liebkost. Folge mit den Händen den Konturen der Hülle, wo immer du sie spürst. Wenn du das Gefühl hast, daß 30 cm zu wenig sind, vergrößere den Abstand, bis du die richtige Ausdehnung der Hülle gefunden hast. Laß weiterhin Liebe und Bestätigung aus deinen Fingern strömen.

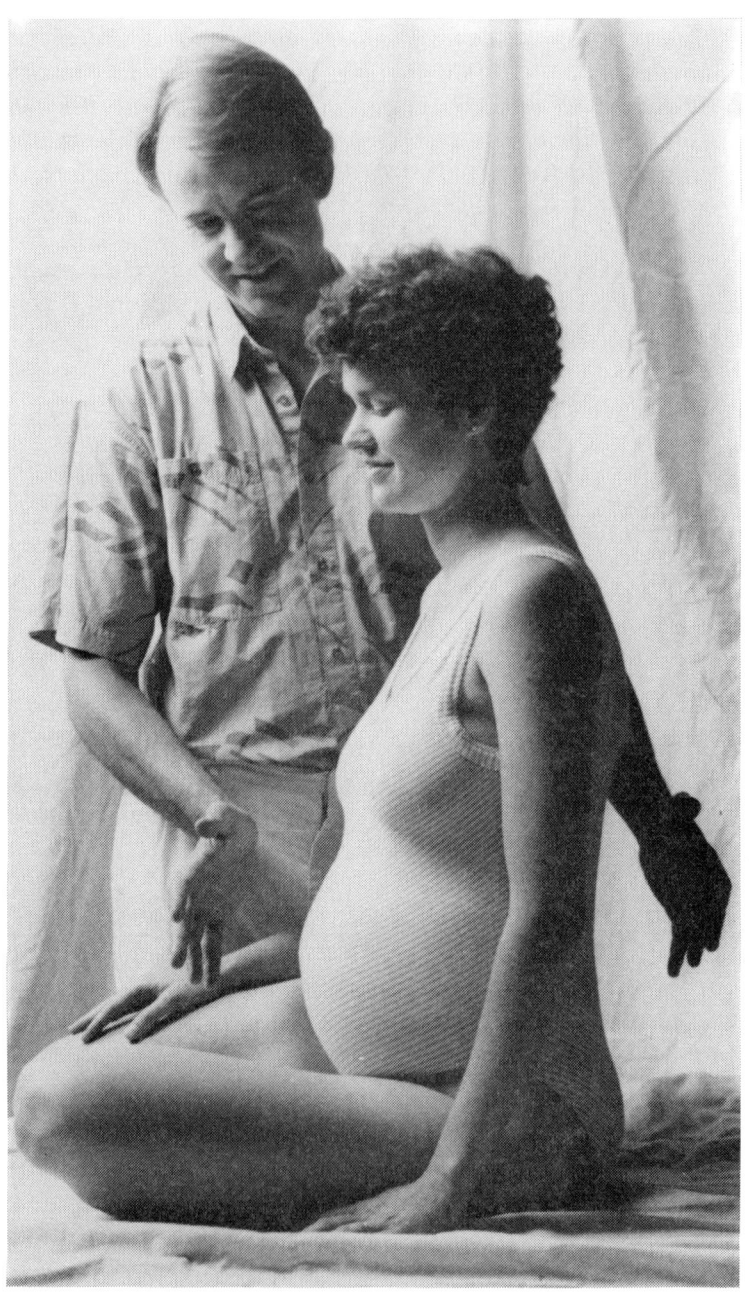

Bewege jetzt ganz langsam deine Hand weiter und weiter weg, während du dieses Gefühl der Liebe und der Zuneigung unverändert aufrecht erhältst. Werde dir deiner Atmung bewußt. Werde dir allmählich wieder deines Körpers bewußt, ganz entspannt und erfrischt. Und jetzt kehre zurück in das Zimmer und spüre seinen Frieden.

Wenn du bereit bist, öffne die Augen und schaue dich um. Erinnere dich daran, wo du bist. Schau auf deine Hand. Denke daran: Immer wenn du im Laufe des heutigen Tages diese Hand siehst, wirst du an die Liebe und den Segen denken, die durch

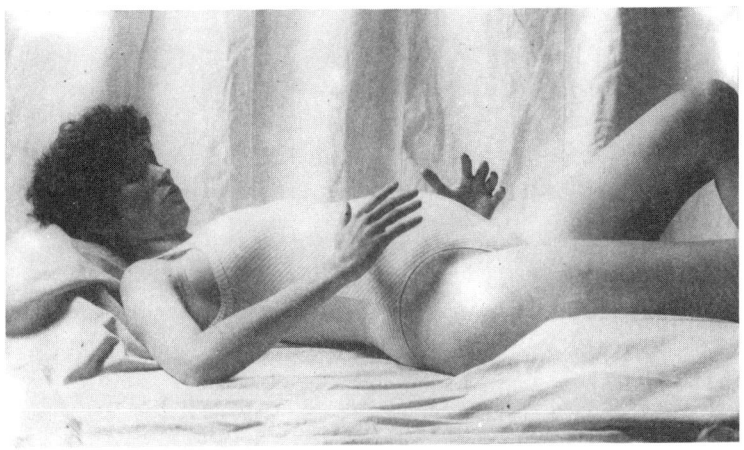

diese Hand geflossen sind. Sie wird dich an den Spirituellen Schoß erinnern. Du erinnerst dich an die Liebe, die du für dein Baby empfindest, und die Liebe, die dein Baby für dich empfindet. Du wirst dieses Gefühl nichts vergessen, denn du hast etwas, das dich daran erinnert: deine Hand. Und immer, wenn du auf deine Hand schaust, wird dich ein Gefühl der Liebe durchströmen, und deine Dankbarkeit fließt von dir zu deinem Kind.

****

Wenn du erst einmal den Spirituellen Schoß berührt und seine Vollkommenheit entdeckt hast, wirst du ihn nicht mehr verlieren wollen. Du wirst diesen Geist spüren wollen, wo immer du auch bist, was immer du auch tust – für den Rest deines Lebens. Denn das Kind, das du nährst, ist das Kind in dir. Das Kind draußen ist nur ein Abbild, das den Geist deiner eigenen Geburt verkörpert. Und Geburt ist etwas, das wir uns jeden Tag bewußt machen sollten. Wir haben ständig die Chance für eine Geburt. Es ist wirklich so: Jeder Augenblick birgt die Chance für eine Geburt.

Diese Übung kannst du dir den ganzen Tag ins Gedächtnis zurückrufen, sie wird dich an den Spirituellen Schoß erinnern. Der Spirituelle Schoß will ständig gehegt und gepflegt werden. Es ist der Ort in deinem Kopf und in deinem Herzen, wo zu jeder Zeit Frieden und Ausgeglichenheit herrschen sollten. Wenn wir diesen Ort in uns selbst schaffen, wird uns klar, wie wichtig er für die Entwicklung unseres Kindes ist.

Die Seele, auf dem Weg in eine neue Inkarnation, kann riesige Fortschritte machen, wenn die Eltern ihr bewußt helfen und den Raum für die Schwingungen bereithalten, den sie braucht. Unsere Welt wartet auf diese Seelen und den Segen ihres Tuns. Wenn wir den Spirituellen Schoß in unserem Bewußtsein annehmen, geben wir unserem gesamten Planeten das, was er am nötigsten braucht.

4

Kontakt mit der Seele des Embryos:

Die Inkarnation und das Vehikel

Innere und äußere Dimensionen

So, wie die einzelnen Menschen sich in ihren körperlichen Eigenschaften, gefühlsmäßigem Verhalten und geistigen Mustern stark unterscheiden – also den Ebenen der Materie – so gibt es ähnliche Unterschiede bei den spirituellen Eigenschaften eines jeden Menschen – also auf den Ebenen des Geistes. Du kennst dich auf der äußeren, der physischen Ebene am besten, und du kennst auch deinen Partner auf der physischen Ebene sehr gut, und wenn du versucht hast zu verstehen, was eure Beziehung auf der inneren Ebene bedeutet, dann hast du wahrscheinlich auch ein Gefühl für die spirituelle Identität deines Partners entwickelt Wenn ihr ein Baby habt, dann hat die Gleichung eine dritte Menge spiritueller und materieller Eigenschaften. Ihr werdet zur Triade, die eine ganz andere Konfiguration spiritueller Energie zur Folge hat, als dies bei zwei Menschen der Fall ist.

Ein menschliches Wesen setzt sich aus den Ebenen der Materie, mit denen wir ganz gut vertraut sind, und den Ebenen des Geistes zusammen. Zur Materie gehören Körper, Herz und Verstand. In der Welt, wie wir sie kennen, entwickeln sich die physischen Körper vom Säugling zum

Erwachsenen. Wir können also auf der materiellen Ebene von einer gewissen Entwicklung sprechen. Bis zu einem gewissen Grad entwickelt sich auch der Verstand, aber er nutzt nur einen Bruchteil seines Potentials aus, und sehr oft behindert ein gutentwickelter Verstand die Entfaltung der Spiritualität.

Dann kommen wir zum Herz, dem emotialen Bereich, der in unserer modernen Welt gewöhnlich winzig klein bleibt. Wir werden dazu erzogen, unsere Gefühle auf Liebe und Haß zu beschränken, was soviel bedeutet, als würde man nur zwei Töne auf der gesamten Klaviatur eines Pianos kennen. Nie werden wir den Tasten des Klaviers den wirklichen Zauber der Musik entlocken, wenn wir unsere Gefühle nur auf dieses kleine Repertoire emotionaler Erfahrung beschränken. Es gibt hunderttausende von Noten — niemand braucht, wenn er auch die leisesten Zwischentöne kennt, zweimal hintereinander die selbe Note zu spielen.

Werden diese äußeren Eigenschaften von Körper, Herz und Verstand (dem Vehikel) von den spirituellen Eigenschaften, die wir in diese Inkarnation mitgebracht haben, gesteuert, dann können sie zu Werkzeugen des Geistes werden und das Sprituelle manifestieren. Deshalb hat man uns diese Eigenschaften gegeben. Reißen sie jedoch die Kontrolle an sich, dann sind sie nicht mehr in der Lage, Ausdruck der Lebensenergie zu werden.

Während des Geburtsvorgangs zieht die Seele eine physische Form mit ihren mentalen und geistigen Komponenten zusammen, um auf der Erde zu inkarnieren. Jede nicht-inkarnierte Seele, die Vorkehrungen für die Wiedergeburt auf unserem Planeten trifft, sucht sich die Kombination der Umstände aus, die für die Lernaufgaben, die sie sich ausgesucht hat, am besten geeignet ist, und für die Ziele, die sie gewählt hat, um sich im Kreis des Ganzen zu erfüllen.

In jedem Menschen schlummert dieser transzendente Aspekt — der göttliche Geist, der die äußere Form für seine Aufgabe gewählt hat. Die äußere Form ist das Vehikel für die Inkarnation – wie ein Fahrzeug, das der Fahrer zusammengebaut hat, um von Punkt A zu Punkt B zu gelangen. Die Seele ist der Fahrer; Körper/Herz/Verstand das Fahrzeug. Wenn diese Form der Materie mit Körper/Herz/Verstand den Anweisungen des Fahrers folgt, bewegt sich das Gefährt von A nach B – ohne großes Trara. Will das Chassis jedoch in die eine Richtung, der Motor in die andere und die Fahrerkabine in die dritte, und keiner von ihnen folgt den Anweisungen des Fahrers – was haben wir dann? Richtig, unsere Welt von heute, der Kontrolle des Geistes entglitten. Dieser Zustand im Menschen, bei dem Körper, Herz und Verstand, jeder aus eigennützigen Gründen in eine andere Richtung zerrt, anstatt sich den eigentlichen spirituellen Aufgaben zu widmen, für die er eigentlich geschaffen ist – dieser Zustand ist fast schon Schizophrenie. Das Inkarnationsvehikel muß dem Geist gehorchen, um im Strom der Schöpfung mitzuschwimmen. Kraftfahrzeuge, die außer Kontrolle geraten sind, tendieren dazu, sich Beulen und Dellen zu holen; und genau das passiert, wenn sich das Irdische vom Göttlichen trennt. Es ist der Aspekt des Göttlichen im Menschen, der uns zu dem macht, was wir eigentlich sind.

Erziehung für die sieben Dimensionen des Lebens

Ein Kind, das sich auf den inneren Ebenen des Geistes entwickelt, hat einen riesigen Vorteil den anderen gegenüber, die diese Chance nicht haben. Wenn man uns nicht als Kindern beibringt, daß der Geist das Höchste ist, dann werden wir dies vielleicht später lernen, aber dann nur unter Kummer und Tränen. Wächst das Kind jedoch in der

Obhut des Geistes auf, sind die Chancen des Inkarnations-vehikels viel größer.

Erst bei der Geburt wirst du das Äußere deines Kindes sehen. Später, wenn sich Körper, Herz und Verstand entwickeln, wirst du auch diese Aspekte kennenlernen. Hinter den äußeren Ebenen verborgen liegen die inneren, und sie kannst du schon lange, bevor die physische Form des Kindes sichtbar wird, spüren. Materielle Dinge werden mit materiellen Fähigkeiten entdeckt, Dinge des Geistes mit geistigen. Nutze deine spirituelle Wahrnehmungsfähigkeit, und du wirst die spirituellen Eigenschaften der Seele spüren, die sich lange vor der Geburt entschieden hat, im Körper deines Kindes zu inkarnieren.

Manchmal ist es sogar sinnvoll, schon vor der Empfängnis mit der Seele Kontakt aufzunehmen. Vielleicht hat eine Frau lange bevor sie einen Parner trifft, das undefinierbare Gefühl, auserwählt zu sein, einer Seele, die eine große Aufgabe zu erfüllen hat, die Chance zur Inkarnation zu bieten. Sie kann sogar schon Jahre vorher, ehe die physischen Voraussetzungen für die Inkarnation dieser Seele geschaffen sind, ein Zugehörigkeitsgefühl zu dieser Seele entwickeln.

Eine Frau hat mir einmal erzählt, sie habe bereits vier Jahre vor der Empfängnis das Wesen des Engels, der durch ihren Körper inkarnieren sollte, gespürt. Eine andere Frau baute bereits zwei Jahre vor der Empfängnis einen innigen Kontakt zur Seele ihres Kindes auf. Sie hat aus dieser Erfahrung gelernt und Einsichten über ihre anderen Beziehungen gewonnen. Diese Art des Erstkontakts ist gleichzusetzen mit einer Empfängnis auf spiritueller Ebene. Sobald die physische Empfängnis jedoch sicher ist, sollten Eltern, die sich ihrer Eigenschaft als Geistwesen voll bewußt sind, das Geistwesen, das den Körper ihres Kindes bewohnen wird, willkommenheißen. Dieser Geist kommt für eine ganz bestimmte Aufgabe auf die Erde, oder auch für mehrere. Nicht nur aus reinem Spaß nimmt er die ganzen Unannehmlichkeiten in Kauf wie etwa eine alberne Erziehung, Pickel und Verkehrsstaus.

Einige Seelen zögern, überhaupt zu inkarnieren; sie wissen, wie hart der Kampf auf der Erde sein wird, und sie kennen die Leiden, die ihre materielle Identität ertragen muß, bevor sie das Geistwesen in sich selbst entdecken. Manchmal werden sie durch diese Probleme so stark von den Aufgaben ihrer Inkarnation abgelenkt, daß die Seele in ihnen gar nicht erweckt wird oder aber nur in sehr geringem Unfang. Dann ist – von der praktischen Seite her gesehen – die ganze Inkarnation vertan.

Die Quelle der Erziehung

Eltern, die sich dieser Faktoren bewußt sind, haben die Chance, all dies zu beeinflußen. Sie können der inkarnierenden Seele den Weg ebnen, indem sie für die richtigen Voraussetzungen sorgen und die äußere Form so vorbereiten, damit diese das Geistwesen in sich ohne große Umwege entdeckt. Eltern, die sich ihrer Verantwortung nicht bewußt sind, können die physischee Form in ihrer Entwicklung so behindern und stören, daß der Prozeß des Erwachsenwerdens länger dauert und schmerzvoller ist als notwendig.

Deshalb ist das Begreifen auf der spirituellen Ebene so lebenswichtig. Eltern können nicht lernen, was ihr Kind braucht, indem sie Bücher über Psychologie lesen. Dr. Spock ist kein Ersatz für Geist-erfüllte Elternschaft; Dr. Ruth ist kein Ersatz für Geist-erfüllte Beziehungen! Bücher sprechen in Allgemeinplätzen, von Prinzipien, die vielleicht für viele Kinder gelten.

Ihr Kind jedoch bringt völlig andere Voraussetzungen mit. Traue dem Geist; traue dem Wissen in dir; sei offen für das, was dir dein Kind aus dem Mutterleib signalisiert. Es ist zwar kein Fehler zu lesen und andere um Rat zu fragen. Dies kann durchaus sinnvoll sein. Während eines schöpferischen Prozesses nehmen wir oft bruchstückhaft Wissen aus dem bewußten Verstand auf, der uns etwas mitteilen will. Wenn das Wissen da ist, nutze es!

Aber das Wissen, das in deinem Kopf, in den Büchern oder in den Köpfen anderer Leute gespeichert ist, selbst das Wissen von ‚Experten' sollte keine Richtschnur sein für das, was wir tun. Wir sollten uns vom Geist leiten lassen. ‚Gut erzogene' Leute sind in ihrer spirituellen Entwicklung auch nicht weiter als solche, deren Intellekt weniger trainiert ist. Ein glänzender Verstand ist nicht unbedingt ein Vorteil. Wirklich brillant sind die Menschen, die sich vertrauensvoll dem Geist überlassen; ihr Verhalten wird bestimmt durch den Drang zu kreativem Tun. Bei ihnen hat der Geist die Oberhand über den Intellekt und die Emotionen; die Kontrolle liegt nicht mehr bei der äußeren Form, also Körper/Herz/Verstand, sondern bei dem Geistwesen in ihrem Inneren.

Ist Erziehung auf spiritueller Ebene erfolgt, dann ordnet sich jede andere Erziehung unter, wo und wann immer es notwendig ist. Ist spirituelle Erziehung nicht erfolgt, dann nützt keine andere Erziehung auf der ganzen Welt. Ein Zuviel an Erziehung führt eher zu Verfälschungen und entfernt den Menschen noch weiter von den Einflüssen des Geistes. Unsere Babys wollen nicht, daß wir Doktoren der Philosophie sind. Sie wollen, daß wir eins sind mit der inneren Wahrheit, mit dem, was wir wirklich sind. Dadurch haben wir viel größere Chancen, den Übergang unserer Kinder in diese Welt zu erleichtern, als es jede Menge Wissen unseres physischen Verstandes könnte.

Dieses innere Wissen ist eine Eigenschaft des Menschen wie jede andere auch, die zunimmt, wenn wir sie weiterentwickeln. So wie unsere Muskeln stärker werden, wenn wir sie benutzen, so wächst auch unsere Sensitivität für das Spirituelle, wenn wir sie üben. Für alle Eigenschaften – die inneren wie die äußeren – gilt der Grundsatz „Nutze, was dir die Natur gegeben hat!" Bei der Durchführung materieller Aufgaben können wir unsere Muskeln einsetzen, bei spirituellen Aufgaben haben sie nichts zu suchen.

Einstimmung

Während der Einstimmung auf ein Baby sind unsere Gefühle zu Beginn vielleicht noch schwach und unbestimmt, mit jeder Meditation werden sie jedoch präziser. Wahrscheinlich haben die meisten von uns weder in der Kindheit noch in der Jugend Gelegenheit gehabt, ihre Sensitivität zu entwickeln, also wachsen wir meistens ohne sie auf. Die Ankunft eines Babys ist eine großartige Gelegenheit, unsere Fähigkeiten der spirituellen Wahrnehmung zu entfalten. Und durch diese Sensitivität hat das Baby eine Chance, uns seine Bedürfnisse mitzuteilen.

Ich erinnere mich an die Geschichte einer Mutter: Sie war Vegetarierin und ihr Verstand hatte ihr suggeriert, dies sei die beste Art der Ernährung. Stell dir ihr Entsetzen vor, als sie mit dem Geist ihres Embryos Verbindung aufnahm und das Kind forderte, sie sollte während der Schwangerschaft Fleisch essen! Und zwar in Mengen! Und dann auch noch ROHES Fleisch! Hätte sie nicht erfahren, daß genau das der Geist für die Entwicklung der physischen Form des Babys benötigte, hätte sie nicht darauf eingehen können.

Mit der nächsten Übung kannst du mit dem Geist des Föten Kontakt aufnehmen. Bevor du beginnst, schaffe dir eine äußere Umgebung, die ruhig und frei von Ablenkungen ist. Ein abgedunkelter Raum mag helfen. Laß ganz leise im Hintergrund sanfte Musik laufen. Ein Freund oder dein Partner kann dir die Übung vorlesen oder du kannst sie auf Kassette aufnehmen und abspielen. Leg dir etwas Papier bereit, so daß du hinterher deine Erfahrungen aufschreiben kannst.

****

51

Erste Übung

Schließe die Augen. Atme aus und laß all die alte abgestandene Luft aus den Lungen heraus. Entspanne dich und atme reine, frische Luft ein. Atme mehrmals so ein und aus. Mit jedem Atemzug spürst du, wie die Spannung deinen Körper verläßt. Fühle beim Einatmen, wie die frische Luft durch deinen Kopf streicht, über deine Gedanken, und alle Sorgen vertreibt. Laß allen Ärger, alle Probleme los. Laß die kühle, weiße, frische Luft deine Enttäuschungen glätten und über die rauhen Stellen in deinem Leben hinwegstreichen.

Stell dir vor, wie dein Körper mit grüner Energie gefüllt ist. Diese grüne Energie ist die Spannung, die sich in deinen Muskeln und Organen angesammelt hat. Sieh, wie diese Energie alle deine Glieder anfüllt. Beginne mit den Füßen. Mit jedem Ausatmen spürst du, wie die Energie aus den Füßen hinausfließt. Atme genügend oft aus, um die grüne Flüssigkeit aus jeder Ecke und jedem Winkel deiner Füße zu vertreiben.

Dann gehe zu den Waden, Hüften, zum Becken über und arbeite dich weiter nach oben. Wenn deine Schultern völlig frei von dieser grünen Energie sind und sich jeder Teil deines Körpers völlig entspannt fühlt, betrachte die Energie in deinem Kopf. Beginne hinter den Schläfen und atme diese grüne Flüssigkeit mit jedem Atemzug aus – solange, bis dein Kopf frei ist von dieser Energie, und keine Verspannungen irgendwelcher Art zurückgeblieben sind. Dann reinige Hals und Mund von dieser Flüssigkeit und spüre, wie entspannt dein Körper geworden ist.

Jetzt richte deine Aufmerksamkeit erneut auf jeden Teil deines Körpers und schau, ob du noch irgendwo Nischen mit Spannungsenergie gefunden hast. Suche all die versteckten Orte, wo sich die Spannung verborgen hält und laß sie ganz leicht mit dem Strom deines Atems herausfließen.

Du bist jetzt eine leere Hülle, rein und entspannt. Hinter dir jedoch spürst du die Präsenz eines anderen Wesens. Dieses andere Wesen ist ein wundervolles, strahlendes Etwas. Es ist nichts als Liebe für dich. Seine Präsenz bringt dich zur Entfal-

tung, und du verschmilzt mit ihm. In dem schützenden Mantel seiner Präsenz geborgen, spürst du, daß du völlig sicher bist. In seiner Präsenz bist du zu Hause. Dieses Wesen heißt dich in seinem Innersten willkommen, und dein Herz kann ausruhen in dem Bewußtsein, daß du heimgekehrt bist. Du bist frei, sicher und geborgen. Eine Welle von Dankbarkeit durchflutet dich – du bist eins mit diesem Wesen. Es ist dein wahres Selbst. Die Jahre des Umherirrens sind vorbei, du kannst ausruhen in der Gewißheit, daß du dich selbst gefunden hast.

Spüre, wie vollkommen dieses Wesen ist, wie schön. Nichts in dieser Hülle aus Energie, die dieses Wesen ist, kann dich bedrohen, stören oder aufregen. Es ist voll und ganz du. Es ist wahrhaftig du. Schau, wie dieses Wesen, das dein wahres Selbst ist, aussieht. Sieh die phantastischen Farben, die vollkommenen Formen. Nimm dir so viel Zeit, wie du willst, nur um das Wunder dieses Wesens zu erfahren. Betrachte seine Form in allen Einzelheiten, sieh, wie fließend sie ist. Verschmelze jeden Teil von dir mit diesem Wesen in einer Vereinigung übermäßiger Freude. Nimm dir Zeit und schau umher, schau dich um in der Nähe von euch beiden, die ihr miteinander verschmolzen seid, und du wirst ein anderes solches Wesen finden, voller Licht. Es ist das wahre Selbst desjenigen, der dir am nächsten steht, deines Partners, in Liebe mit dir verbunden. Erkenne, wie vollkommen das absolute Sein deines Partner ist. Sieh, wie sich dein Partner dir langsam nähert, bis eure Lichthüllen ganz dicht beieinander sind. Erinnere dich an die Dinge, die dir besonders aufgefallen sind, als du deinen Partner zum ersten Mal gesehen hast. Erkenne auch das an deinem Partner, das nicht zu seinem wahren Selbst gehört, unnötiger Ballast, den er mit sich herumschleppt und der ihn behindert. Strecke die Hände aus und segne deinen Partner. Strecke deine Hände in heilender Gebärde aus und berühre die Teile von ihm, die nicht zu seinem wahren Selbst gehören. Spüre, wie du auch sie liebst – alle – die hellen wie die dunklen Stellen. Spüre, wie sich dein Energiefeld mit dem deines Partners in einer Umarmung vereinigt, und spüre die Kraft und die Bestätigung, die dein Partner aus dieser Umarmung gewinnt. Spüre, wie die Energie von euch beiden größer ist als die

Energie eines jeden einzelnen von euch. Spüre, wie dein Licht heller scheint, wenn ihr zusammen seid, wie die Strahlung zunimmt. Danke dem Geist deines Partners, daß er zu dir gekommen ist.

Jetzt richtet eure Aufmerksamkeit gemeinsam nach außen, und ihr bemerkt ein anderes Geistwesen. Dieses Wesen ist anders als ihr. Seine strahlende spirituelle Hülle ist so groß und so komplex wie die von euch beiden. Aber der Teil, der den physischen Körper bildet, ist noch sehr klein und ungeformt. Er ist ein Stück entfernt von euch, und du gibst ihm ein Zeichen näherzukommen. Er kommt langsam auf dich zu. Zieh ihn nicht näher zu dir heran, als er möchte. Laß ihn die Distanz finden, die für ihn angenehm ist. Er kann in dieser Entfernung bleiben, während ihr euch miteinander vertraut macht.

Schau dir dieses Geistwesen in allen Einzelheiten an. Wie sind seine Farben? In welchen Mustern bewegen sie sich? Welche anderen Eigenschaften hat es? Spricht es mit dir? Wenn ja, was sagt es? Wenn es nicht spricht, laß es gewähren, erzwinge nichts. Sei nur einfach da, ganz einfach da. Frag dieses Wesen, ob du etwas für seine Inkarnation tun kannst. Vielleicht antwortet es nicht, oder es kommt mit einer langen Liste von Wünschen. Nimm sorgfältig alles zur Kenntnis, was es versucht, dir zu sagen, aber dränge es nicht zum Sprechen.

Bring deine Energiehülle zu einem Punkt, der deinem Embryo gegenüberliegt. Jetzt ziehe diesen Punkt auseinander wie ein gerades Band, das von dir zu dem Geist deines Fötus reicht. Sieh, wie dieses strahlende Band voller Energie deinen Embryo berührt und sich mit seinem Energiefeld vereinigt. Jetzt spüre, wie die Energie von dir zu dem Föten fließt. Laß ihn deine Liebe und deine Sorge spüren, dein Versprechen, daß du alles für ihn tun willst. Spüre, wie die Energie durch den Kanal zu dir zurückfließt. Nimm diese Energie an. Umarme sie, werde eins mit ihr. Spüre, wie dich dieses Geschenk aus Licht eines anderen Wesens reicher macht.

Dann laß das Treffen allmählich zu Ende gehen. Während du den Abschied vorbereitest, laß den Fötus entscheiden, ob er das Energieband aufrechterhalten oder für dieses Mal loslassen möchte. Wenn er loslassen möchte, löse dein Energieband ganz allmählich und nimm es in dich zurück.

Danke dem Geist deines Embryos, daß er zu dir gekommen ist, und beobachte, wie er allmählich verschwindet. Danke deinem Partner, daß er sich mit dir in dieser Erfahrung vereinigt hat. Umarme deinen Partner ein letztes Mal und entlasse auch ihn.

Werde dir allmählich deines Atems bewußt, ein und aus, ein und aus, ein und aus. Sieh, wie deine Form aus Licht in deine physische Form eintaucht. Spüre jeden Teil deines Körpers, wie er angefüllt ist mit diesem strahlenden Licht. Spüre jeden Teil deines physischen Körpers.

Wenn du bereit bist, öffne die Augen. Schreibe auf, was du soeben gesehen und gefühlt hast. Schreibe so viele Einzelheiten wie möglich auf.

****

Die Erste Übung in diesem Kapitel ist ein allgemeines Sichvertrautmachen mit der Seele des Babys, und wir lassen den Kontakt so zu, wie er sich ergibt. Diese Übung kann mehrere Male wiederholt werden, bis du dich in der Gegenwart des Geistes deines Kindes wirklich wohlfühlst.

Sinn der Zweiten Übung ist es, die Kontaktebene vom Allgemeinen zum Besonderen zu bringen. Wenn erst einmal eine Basis für die Kommunikation zwischen den Erwachsenen und dem Kind gefunden ist, können spezifische Informationen ausgetauscht werden. Es ist ähnlich wie bei jedem anderen menschlichen Zusammentreffen; wir müssen uns in der Gegenwart des anderen Menschen wohlfühlen, bevor wir ihm unsere tiefsten Geheimnisse anvertrauen. Und wir gehen erst tiefer, wenn sich jeder in der Gesellschaft des anderen wohlfühlt. Die Erste Übung ist die erste Stufe auf diesem Weg. Wende die Erste Übung an, bis dieses Stadium der Vertrautheit erreicht ist, dann gehe weiter zur Zweiten Übung.

Bevor du beginnst, mach es dir bequem, damit du dich wohl fühlst, wie zuvor. Halte Papier und Schreibzeug bereit und schreibe hinterher deine Beobachtungen auf.

****

Zweite Übung

Schließe die Augen. Atme aus und laß all die alte abgestandene Luft aus den Lungen heraus. Entspanne dich und atme reine, frische Luft ein. Atme mehrmals in dieser Form ein und aus. Mit jedem Atemzug spürst du, wie die Spannung deinen Körper verläßt. Fühle beim Einatmen, wie frische Luft durch deinen Kopf streicht, über deine Gedanken, und alle Sorgen vertreibt. Laß allen Ärger, alle Probleme los. Laß die kühle, weiße, frische Luft deine Enttäuschungen glätten und über die rauhen Stellen in deinem Leben hinwegstreichen.

Stell dir vor, wie dein Körper mit grüner Energie gefüllt ist. Diese grüne Energie ist die Spannung, die sich in deinen Muskeln und Organen angesammelt hat. Sieh, wie diese Energie alle deine Glieder in Besitz genommen hat.

Beginne mit den Füßen. Mit jedem Ausatmen spürst du, wie die Energie aus den Füßen hinausfließt. Atme so oft wie möglich aus, um die grüne Flüssigkeit aus jeder Ecke und jedem Winkel deiner Füße zu vertreiben.

Dann geh zu den Waden, Hüften, zum Becken über und arbeite dich weiter nach oben. Laß die grüne Energie mit dem Atem aus den Schultern abfließen, dann reinige Kopf und Hals. Fahre so fort, bis keine Verspannungen irgendwelcher Art mehr übriggeblieben sind. Spüre, wie völlig entspannt dein Körper geworden ist. Jetzt richte deine Aufmerksamkeit noch einmal auf jeden Teil deines Körpers und schau, ob noch irgendwelche restlichen Nischen der Spannungsenergie da sind. Suche all die versteckten Orte, wo sich die Spannung verborgen hält und laß sie ganz leicht mit deinem Atem herausfließen

Du bist jetzt eine leere Hülle, rein und schlaff. Hinter dir bemerkst du die Präsenz deines wahren Selbst. Sie ist wunderschön – strahlend – nichts als Liebe. Erneut bringt dich diese Präsenz zur Entfaltung und du verschmilzt mit ihr. Eingehüllt in den schützenden Mantel dieser Präsenz weißt du, daß du völlig sicher bist. Du weißt, du bist nach Hause gekommen. Es ist wunderbar, wieder bei dir selbst zu sein. Dein lichtes Selbst begrüßt dich, und du fühlst dich frei, beschützt und geborgen.

Spüre, wie vollkommen dein wahres Selbst ist. Wie wundervoll. Nichts in dieser Hülle aus Energie könnte dich je bedrohen, stören oder aufregen. Du bist ganz du selbst. Du bist ganz wirklich du selbst. Schau und sieh, wie dieses Wesen aussieht, das dein wahres Selbst ist. Sieh die phantastischen Farben, die vollkommenen Formen.

Nimm dir so viel Zeit, wie du willst, nur um das Wunder dieses Wesens zu schauen. Betrachte seine Form in allen Einzelheiten und wie sie fließt. Hat es sich seit eurer letzten Begegnung verändert? Ist es seitdem gewachsen? Ist es ausgeprägter? Sind die Farben strahlender? Vereinige jeden Teil deines äußeren Selbst mit ihm in übermäßiger Freude.

Jetzt nimm dir Zeit und sieh dich um, schau, wie sich die Lichtenergie deines Partners nähert, wie dein Partner langsam auf dich zukommt, bis eure Lichtformen ganz dicht beieinander sind. Mache dir bewußt, wie vollkommen dein Partner ist. Hat sich dein Partner verändert, seit du ihn zuletzt gesehen hast?

Strecke deine Hände aus und segne deinen Partner. Strecke deine Hände in heilender Gebärde aus und berühre die Teile seines äußeren Selbst, das nicht seinem wahren Selbst entspricht. Spüre, wie du sie liebst – alle hellen und dunklen Stellen. Fühle die Energie, mit der du deinen Partner umarmst und die Bestätigung und Kraft, die er aus dieser Umarmung schöpft. Spüre, daß die Kraft eurer gemeinsamen Energie stärker ist als die eines jeden einzelnen von euch. Spüre, wie die Strahlung zunimmt, während ihr zusammenkommt. Danke dem Geist deines Partners, daß er zu dir gekommen ist.

Jetzt wendet eure Aufmerksamkeit nach außen und nehmt den Geist eines anderen Wesens wahr, den Geist eures Babys. Seine

strahlende Energiehülle ist so groß und so komplex wie eure.
Aber der Teil, der den physischen Körper bildet, ist noch sehr
klein und ungeformt.

Er ist ein spiritueller Riese und ein physischer Zwerg. Zwi-
schen euch liegt eine gewisse Distanz, und du gibst ihm ein
Zeichen näherzukommen. Er kommt zu euch. Versucht nicht,
ihn näher an euch heranzuziehen als er will. Laßt ihn die Distanz
zu euch finden, in der er sich wohlfühlt. Hat sich die Entfernung
seit dem letzten Mal geändert? Spricht er zu euch? Wenn ja,
was sagt er? Wenn er nicht sprechen will, dann versucht nicht,
ihn dazu zu zwingen. Seid einfach nur da, ganz da. Fragt das
Kind, was ihr für seine Inkarnation tun könnt. Es kann sein, daß
es überhaupt nicht antwortet; es könnte aber auch eine ziemlich
lange Liste von Wünschen bereithalten.

Achtet sorgfältig auf alles, was es euch überbringen will, aber
zwingt es nicht dazu, mit euch in Verbindung zu treten. Schaut
euch alles im Detail an. Seht ihr Einzelheiten, die ihr zuvor nicht
gesehen habt?

Bringt eure Energiehülle zu einem Punkt, der eurem Embryo
gegenüberliegt. Jetzt zieht diesen Punkt auseinander wie ein
gerades Band, das von euch zu dem Geist eures Föten reicht.
Seht, wie dieses strahlende Band voller Energie euren Embryo
berührt und sich mit seinem Energiefeld vereinigt. Jetzt spürt,
wie die Energie von euch zum Embryo fließt. Laß ihn eure Liebe
und Sorge spüren, euer Versprechen, daß ihr alles für ihn tun
werdet. Spürt, wie die Energie durch den Kanal zu euch zurück-
fließt. Nehmt diese Energie an. Umarmt sie, werdet eins mit ihr.
Spürt, wie euch dieses Geschenk aus Licht einas anderen Wesens
reicher macht. Fragt den Geist des Föten, was er von euch will.
Stellt ganz genaue Fragen und gebt ihm Zeit für eine Antwort.
Wenn er nach einer Weile nicht reagiert, geht zur nächsten
Frage über. Fragt euer Baby:

*   — Welche Nahrung müssen wir, ich und mein Partner, zu uns*
    nehmen, damit dein reifender Körper alles bekommt, was er
    braucht?

- Welche physische Umgebung ist gut für meinen Körper, damit deiner wachsen kann?
- Welche mentale Umgebung muß ich schaffen, damit deine geistige Entwicklung gefördert wird?
- Welches emotionale Klima brauche ich, damit es für dich gut ist?
- Welche physischen Gewohnheiten habe ich, die dein Wachsen und die Funktion deiner Organe behindern?
- Welche mentalen Gewohnheiten habe ich, die dein Wachstum und deine Funktion behindern?
- Welche emotionalen Gewohnheiten habe ich, die dein Wachstum und die Funktion deiner Organe behindern?
- Welches Verhalten in der Beziehung zu meinem Partner stört dich bei deiner Entwicklung?
- Welche Art von Leuten möchtest du um dich haben, während du ein Säugling bist und dich noch nicht in Worten ausdrücken kannst?
- Welche Art von Leuten möchtest du in deiner Kindheit um dich haben?
- Welcher physische Ort wäre für dein Wachstum am besten?
- Was ist deine Hauptaufgabe in dieser Inkarnation?
- Welches sind deine zweitwichtigsten Aufgaben?
- Wie kann ich dir dabei helfen?
- Kannst du mir einige meiner Aufgaben nennen?
- Kannst du mir bei der Verwirklichung helfen?
- Wie heißt du?
- Gibt es verwandte Seelen, die ungefähr zur selben Zeit inkarnieren?
- Gibt es bestimmte Bücher, die ich lesen soll?
- Gibt es bestimmte Menschen, mit denen ich Umgang haben soll?
- Welche Art der Geburt ziehst du vor?
- Wen möchtest du bei deiner Geburt als Hebamme, Schwester, Arzt dabei haben?
- Welche Freunde und Verwandten sollen – wenn überhaupt – bei der Geburt dabei sein?

- *Wie kann ich den Streß für dich nach der Geburt so gering wie möglich halten?*
- *Wie kann ich den Streß für mich nach der Geburt so gering wie möglich halten?*
- *Wie kann ich den Streß für meinen Partner nach der Geburt so gering wie möglich halten?*
- *Welche Farben möchtest du in deinem Kinderzimmer haben?*
- *Was muß ich vor deiner Geburt noch wissen?*
- *Was ist das wichtigste, an das ich mich nach deiner Geburt erinnern soll?*
- *Was möchtest du mir sonst noch sagen?*

Nun laß die Begegnung zum Ende kommen. Während der Vorbereitung dafür laß den Fötus entscheiden, ob er das Energieband aufrechterhalten oder es für dieses Mal loslassen will, bis zum nächsten Mal. Wenn er gehen will, löse dein Energieband allmählich und ziehe es in dich zurück.

Danke dem Geist des Embryos, daß er zu dir gekommen ist, und spüre, wie er in der Ferne allmählich verschwindet. Danke deinem Partner, daß er dieses Erlebnis mit dir geteilt hat. Umarme deinen Partner ein letztes Mal und dann entlasse auch ihn.

Werde dir jedes Teils deines physischen Körpers bewußt. Fühle, wie dich dieses Erlebnis bestätigt und stark gemacht hat. Freue dich über das neue Gefühl der Verbundenheit mit dem Embryo. Du weißt, es wird den ganzen Tag über bei dir bleiben.

Wenn du bereit bist, öffne die Augen. Schreibe alle Einzelheiten auf, so genau wie möglich.

****

Wiederhole diese Übung anhand der Liste mit den Fragen. Du kannst von Zeit zu Zeit diese Übung wiederholen und dir Antworten auf Fragen holen, wenn sich in deinem Leben bestimmte Situationen ergeben. Während deine Beziehung zur Seele des Embryos wächst, wirst du immer besser in der Lage sein, gezielte Fragen zu stellen.

Kontrolle

Hab keine Skrupel, die Information, die dir der Embryo gibt, bei anderen Quellen nachzuprüfen. Wenn dein Partner diese Übungen mit dir zusammen macht, so sind seine Erfahrungen eine wertvolle Kontrolle deiner eigenen.

Sei bei der Bewertung der Information, die du bei diesen Sitzungen erhältst, vorsichtig. Wenn du meinst, der Fötus bittet dich, drei Glas unverdünnte Schwefelsäure pro Tag zu trinken, erkundige dich erst einmal nach der Wirkung von Schwefelsäure auf den menschlichen Körper, bevor du diesem Wunsch folgst!

Bei den Übungen sollten wir nicht unseren klaren Verstand ausschalten, auch nicht die Intuition und nicht die Informationen, die wir von anderen Quellen erhalten. Als vielschichtige Wesen müssen wir die Weisheit aller Aspekte unseres Selbst berücksichtigen. Diese Übungen zeigen uns vielleicht einen Aspekt. Aber wegen eines Aspekts über Bord zu gehen, und die anderen außer acht zu lassen, würde bedeuten, die Vielfalt unseres Wesens nicht zu nutzen.

Sei nicht unkritisch mit den Informationen, die du bei deinen Übungen erhältst. **Die Kontrolle darüber liegt bei dir.** Du darfst nicht die Verantwortung einem Wesen überlassen, das dich von einer anderen Ebene her führt.

Aber wenn du erst einmal deine spirituelle Identität akzeptiert hast, dann bist du in der Lage, auf der Ebene der spirituellen Identität deines Föten Informationen zu erhalten und lange vor der Geburt ein Band zu knüpfen. Diese Informationen werden dir helfen, dich auf das große Ereignis vorzubereiten.

5

Lichtübungen

Bioenergetische Felder

Jeder Mensch ist von einem unsichtbaren Energiefeld umgeben, das unterschiedlich bezeichnet wird: in der östlichen Lehre als Aura; von medizinischen Forschern in Rußland als Bioplasmafeld (bios = Leben, plasma = Substanz); von Physikern als elektromagnetisches Feld. Es umgibt den physischen Körper von Kopf bis Fuß in einem Abstand zwischen 60 bis 150 cm, ähnlich der Form eines Eies. Die Farben in diesem Feld sind von Mensch zu Mensch unterschiedlich, sie hängen von den persönlichen Eigenschaften des einzelnen ab. Das bioenergetische Feld eines Menschen ändert sich ständig und reflektiert den allgemeinen Gesundheitszustand, besondere Krankheiten, den Bewußtseinszustand (also schlafen oder wachen) etc.

Wenn zwei Menschen zusammen sind, beeinflussen sich ihre Auren gegenseitig, selbst wenn kein physischer Kontakt besteht. Sensitive Menschen können die Aura sehen und aus ihr Informationen über die betreffende Person lesen. Intuition ist zum Teil nichts anderes als die Fähigkeit, diese Signale zu verstehen, die die Aura ständig aussendet und die Ausdruck sind unserer Absichten, unseres allgemeinen Zustands und unserer spezifischen Eigenschaften.

Dieses Feld unsichtbarer Energie umgibt den physischen Körper eines jeden Menschen und weist eine Reihe

Chakra 7: Kronen-Chakra
Chakra 6: Drittes Auge

Chakra 5: Hals-Chakra

Chakra 4: Herz-Chakra

Chakra 3: Solarplexus

Chakra 2: Sexual-Chakra

Chakra 1: Wurzelchakra

Chakras

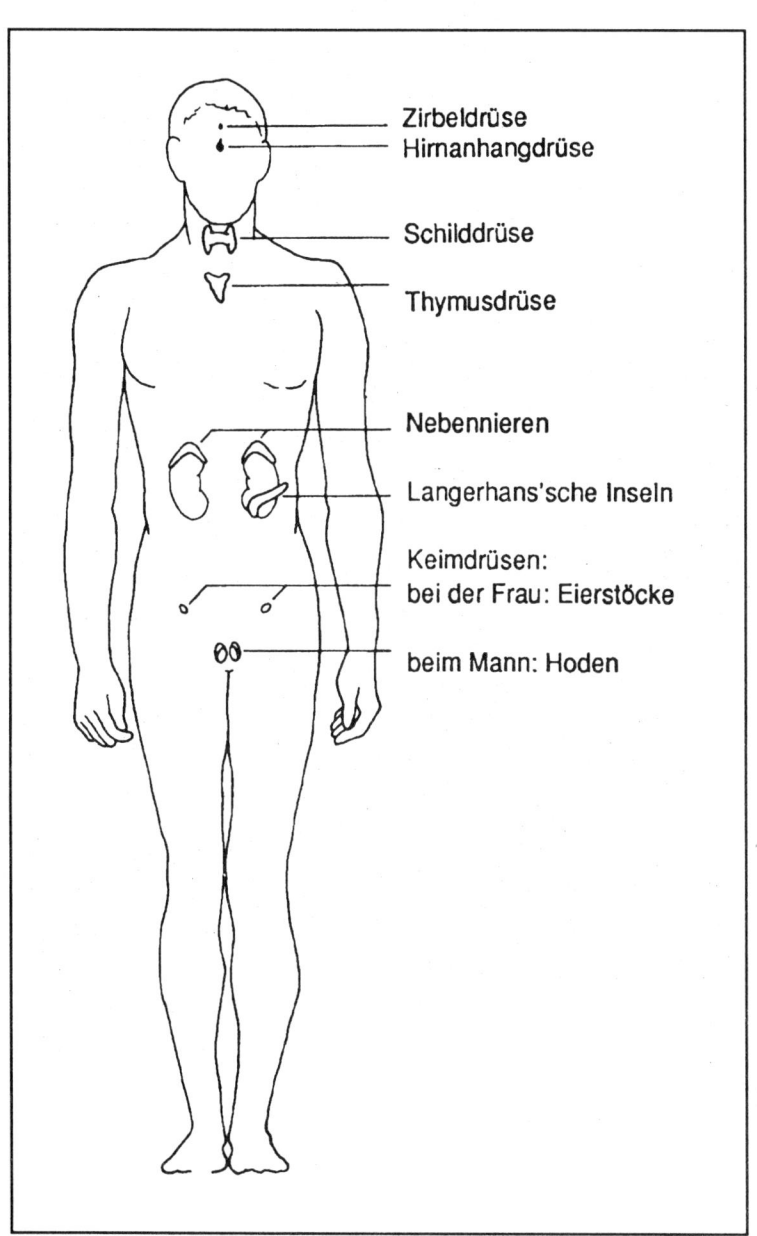

Zirbeldrüse
Hirnanhangdrüse

Schilddrüse

Thymusdrüse

Nebennieren

Langerhans'sche Inseln

Keimdrüsen:
bei der Frau: Eierstöcke

beim Mann: Hoden

Endokrine Drüsen

Brennpunkte auf, an denen sich unterschiedliche Arten von Energie sammeln. Sie werden oft als Chakras bezeichnet. Jedem Chakra wird eine besondere Eigenschaft zugeschrieben. Man unterscheidet sieben Chakras.

****

Das endokrine Drüsensystem

Auf der physischen Ebene entspricht dieses System der unsichtbaren Kontaktpunkte dem endokrinen Drüsensystem. Es gibt sieben endokrine Drüsen. Man nennt sie auch die Drüsen ohne Ausführungsgang, weil sie ihre Sekrete nicht durch Kanäle in andere Teile des Körpers ausscheiden – im Gegensatz zu den Schweißdrüsen, Speicheldrüsen etc. Die Sekrete der endokrinen Drüsen gehen direkt in den Blutstrom und wirken daher sofort auf den ganzen Körper. Das beste Beispiel sind die Nebennieren. Wenn sie zur Abgabe von Adrenalin stimuliert werden, versetzt der ‚Kampf- oder Flucht-Reflex' den gesamten Körper innerhalb von Sekunden in Alarmbereitschaft.

Gefühl für die inneren Ebenen

Die Wechselwirkung zwischen den bioenergetischen und den physischen Systemen ist für viele therapeutische Wirkungen verantwortlich, bei denen man nur die bioenergetischen Faktoren berücksichtigt und die physischen Ebenen außer acht läßt. Mit anderen Worten: Um den Körper zu beeinflussen, braucht man ihn nicht zu berühren. Tatsächlich bilden die unsichtbaren Ebenen des Wohlbefindens immer die Grundlage für die physischen.

Mit einiger Übung ist es also möglich, das Gespür für diese unsichtbaren Seinsebenen zu entwickeln. Wenn es uns gelingt, unsere Sensitivität bis in diesen Bereich zu

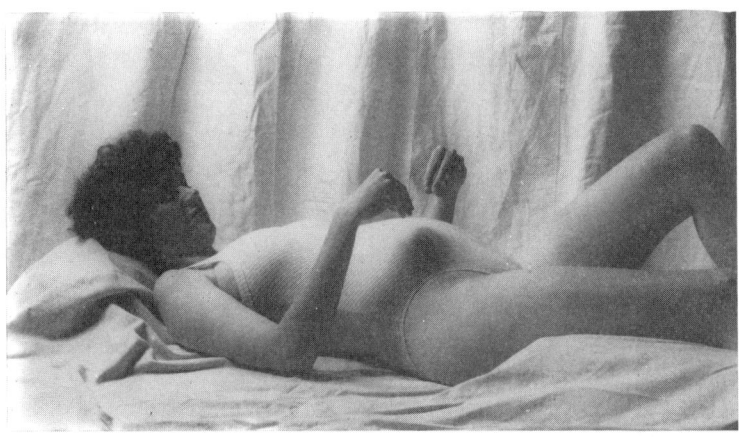

Gebündelte Energie – Mutter allein

steigern, werden unsere unsichtbaren Sinne geschärft für das, was sich in diesen Bereichen abspielt. Um ein Bild von der Welt und anderen Menschen zu bekommen, verlassen wir uns dann weniger auf das, was wir sehen, riechen, hören, tasten, schmecken, sondern mehr auf das, was wir ‚ohne Sinne fühlen'.

Mit dieser Art der Wahrnehmung wird es uns gelingen, mit dem ungeborenen Kind eine Verbindung aufzunehmen – auf spiritueller Ebene – voller Energie und Licht. Die folgende Übung ist für ein Kind im Mutterleib, ein neugeborenes oder ein älteres Kind geeignet, am besten, wenn es schläft.

****

Erste Übung

Mach es dir in einem ruhigen, nicht zu hellen Raum bequem. Werde dir deiner Atmung bewußt. Atme langsam ein und aus. Mit jedem Ausatmen laß alle Sorgen des Tages heraus. Spüre, wie dein Geist ruhig wird, während du dich auf deinen Atem

Gestreute Energie – Vater allein

konzentrierst. *Spüre, wie beim Ausatmen alles Störende aus deinem Körper hinausfließt und wie dein Herz ruhig wird. Konzentriere dich immer mehr auf deinen Atem, ein und aus, bis Körper, Herz und Verstand ganz ruhig sind.*

Stell dir einen Lichtstrahl vor, der von oben herunterkommt und auf deinem Kopf liegenbleibt. Dieser Strahl ist weiß, strahlend, rein und badet dich in sanftem Licht. Stell dir die Quelle dieses Lichts vor. *Das Licht kommt vom Herrn des Lichts, dem Höchsten Lichtwesen, dem Einen, das die letzte Verantwortung für das Zusammenspiel aller Menschen und Dinge auf diesem Planeten hat. Wie auch immer deine Vorstellung des Göttlichen sein mag, stell dir vor, wie das Licht von diesem Einen kommt und den Scheitel deines Kopfes berührt. Spüre, wie du auf diesen unendlichen Strom von Liebe reagierst. Deine Dankbarkeit steigt auf dem Lichtstrahl empor.*

Jetzt stell dir vor, wie der Lichtstrahl über deinen Körper fließt, die Arme hinunter bis zu den Händen. Während er über die Hände strömt, halte die Hände so, daß diese Energie gebündelt wird, die vier Finger und den Daumen zu einer Spitze geformt. Sieh nun, wie das durchstrahlende Wesen deines Partners zu dir kommt. Richte den Strom Energie, den du mit deinen Händen geschaffen hast, auf das Energiefeld deines Partners. Wenn ihn die Energie berührt, verstärken sich die Farben und die Intensität seines Energiefeldes wächst. Konzentriere den Strom der Energie weiterhin, indem du die Fingerkuppen zusammenführst (Handposition A). Während du deinen Partner in diesem Licht badest, spüre wie er auf deine unsichtbare Berührung antwortet. Jetzt öffne die Hände, so daß die Energie mehr gestreut wird. Halte sie etwa 30 bis 50 cm vom Baby entfernt. Laß die gestreute Energie das Energiefeld des Babys berühren. Laß weiterhin einen stabilen Lichtstrahl aus deinen Händen fließen und spüre, wie sich dein eigenes Feld und das deines Babys verstärken.

Laß die Intensität des Strahls der Liebe deiner Händen kräftiger werden, bis sich ein Druck aufbaut, aber nur so stark, wie er für das Kind angenehm ist. Laß diesen Strom stärker werden und laß dein Kind darauf antworten.

Halte diesen Strom der Liebe konstant. Denke daran, daß du nicht die Quelle dieses Stroms von Liebe bist, sondern nur der Übermittler. Öffne dich ganz dem Einen, dessen Energie du bündelst. Konzentriere dich völlig auf den Strom von Liebe, der von oben kommt.

Vielleicht spürst du gewisse Veränderungen im Energiefeld des Babys. Kümmere dich nicht um sie, denn dies lenkt dich von der Verbindung mit dem Einen oben ab. *Was auch immer geschieht, halte deine Verbindung nach oben.* *Laß deine Gedanken nicht abschweifen. Wende dich nach oben und bleibe ‚auf Empfang', auch während das Licht von deinen Händen zum Baby strömt.*

Nach einiger Zeit wirst du spüren, daß du diese Art der Verbindung durch Energie beherrschst. Nun laß die Intensität der Energie, die von deinen Händen strömt, allmählich geringer werden. Bewege deine Hände vom Kind weg. Bewege dich langsam, sei darauf bedacht, daß die Verbindung zum Kind erhalten bleibt.

Drehe deine Hände so, daß die Handflächen nach oben zeigen. Laß deinen Dank nach oben zu Gott aufsteigen – deinen Dank für die Gnade, Teil Seiner Energie gewesen zu sein und sie übertragen zu haben.

Nachdem du gedankt hast, drehe die Handflächen nach innen und lege die Hände auf dein Herz. Spüre, wie ruhig Herz und Gemüt sind, und wie erfüllt. Erinnere dich heute während des ganzen Tages an dieses Gefühl, wann immer du deine Hand siehst. Erinnere dich den ganzen Tag daran, vor allem, wenn du abgelenkt wirst oder wenn dich irgendwelche Ereignisse aus dem Gleichgewicht bringen.

Spüre wieder deinen Atem. Fühle, wie die Luft ganz sanft ein- und ausfließt. Spüre, wie erfrischt und neugeboren du dich fühlst. Danke für dieses Erlebnis, und wenn du bereit bist – öffne die Augen.

****

Die lebenswichtige Bedeutung der Verbindung zum Kosmos

Während dieser Übung ist es wichtig, daß du deine eigenen Gedanken außer acht läßt. Je intensiver das Erlebnis ist, desto wahrscheinlicher ist es, daß dir Herz und

Gemüt aufgewühlt werden. Ein sehr starkes spirituelles Erlebnis kann eine heftige Reaktion unserer gedanklichen Strukturen auslösen. Wenn du dich einen Moment ablenken läßt, um einem interessanten Gedanken nachzuhängen, der aus dem Unterbewußtsein aufsteigt, dann entfernst du dich vom gegenwärtigen Moment und dem, was tatsächlich geschieht.

Sinn dieser Übung ist es nicht, den Intellekt in Aktion zu bringen. Du arbeitest in außerordentlich sensitiven und zerbrechlichen Bereichen, die für das Wohlergehen deines Babys wichtig sind. Es ist der SPRINGENDE PUNKT, daß du bei dieser Arbeit **konzentriert** bleibst. Dies geschieht, indem du dich auf die Verbindung nach oben zu dem Einen konzentrierst und dich durch nichts, was um dich herum oder IN DIR SELBST geschieht, von diesem Einen ablenken läßt. Der Lebensstrom muß konstant gehalten werden – in Herz und Verstand, die sich einzig und allein darauf konzentrieren, als Kanal für den Geist von oben zu dienen.

Wenn du feststellst, daß du darin noch nicht genügend Übung hast, dann suche Kontakt zu einem der Harmonisierungszentren, die im hinteren Teil dieses Buches aufgeführt sind.* Dort wirst du Menschen finden, die seit vielen Jahren Erfahrung mit dieser Verbindung nach oben haben. Es ist sehr empfehlenswert, diese Methode der schönen, aber schwierigen Verbindung von Eltern und Kind unter Anleitung eines darin erfahrenen Menschen zu erlernen.

Der Umgang mit Licht

Während dieser Übungen mit einem schlafenden Kleinkind stellst du vielleicht fest, daß sich der Körper des Kindes bewegt, oder du bemerkst Rapid Eye Movements (Schnelle Augenbewegungen), Bewegungen der Arme und Beine, oder daß sich das Baby einkuschelt, oder sogar auch Anzeichen von Unbehagen.

Wenn du erst einmal in der Kunst, Kanal für diese göttliche Strahlung zu sein, Erfahrungen gesammelt hast, wirst du feststellen, daß dir diese Vorgehensweise allmählich in Fleisch und Blut übergeht. Auf einmal reagierst du auf Krisen nicht mehr mit Verkrampfung, sondern umgekehrt: Krisen werden als Chance erkannt, spirituelle Energie auf die beteiligten Menschen, auf dein eigenes gestörtes Gemüt oder deinen eigenen gestörten Verstand zu übertragen. Wenn der Weg steinig wird, nimmst du instinktiv eine Haltung ein, bei der du diese Energie abstrahlen kannst. Spiritualität wird zum bevorzugten Hilfsmittel, mit jeder Situation fertigzuwerden.

In den folgenden Kapiteln werden wir die einzelnen Faktoren betrachten, die bei der Leitung des Lebensstroms zu jedem der sieben wichtigsten physischen Kontaktpunkte beteiligt sind. Die Übung für jeden dieser Punkte ist die gleiche, die Meditation ist eine andere. Mit diesen Übungen werden alle Kontaktpunkte im Körper des Kindes berührt und die Strahlen der Liebe hineingelenkt. Die Lichtmeditation ist eine bewußte Anrufung des geistigen Prinzips, das mit dem jeweiligen physischen Punkt verbunden ist.

Spirituelle Formen

Jede endokrine Drüse hat ein ihr entsprechendes geistiges Prinzip. Dieses geistige Prinzip ist die göttliche Eigenschaft, die mit diesem Teil des Körpers verbunden ist. Wenn wir die Energie auf einen bestimmten Teil des Körpers lenken, arbeiten wir nicht primär mit dem physischen Organ. Wir sind auch nicht primär daran interessiert, eine Veränderung auf der materiellen Ebene zu bewirken.

Das geistige Prinzip bildet die Grundlage der Materie. Wenn wir auf der spirituellen Ebene arbeiten, regeln sich die Dinge auf der materiellen Ebene von selbst. Es ist nicht notwendig, daß wir uns um die materielle Form kümmern und sie manipulieren, um sie in die rechte Form zu bringen. Wenn das Spirituelle stimmt, stimmt die Form auch. Selbst wenn wir also die endokrinen Drüsen als Kontaktpunkte verwenden, so machen wir die Übung nicht zum Wohl der Drüsen. Wir führen sie zum Wohl des Ganzen aus, und dieses Wohl liegt im Spirituellen.

Das Geistige ist keine undefinierbare Masse, wie wir aus der obigen Übung wissen. Es hat besondere Eigenschaften, und um diese Zentren herum bildet sich die physische Form. Sinn dieser Übungen ist es, eine wirksame Verbindung zwischen Geist und Form zu schaffen.

Krankheit resultiert aus der Blockade der Verbindung zwischen Geist und Form. Zweck dieser Übungen ist es auch nicht, irgendwelche Änderungen an der Form vorzunehmen, sondern der alleinige Sinn ist, einen ungehinderten Fluß des Geistigen in die physische Form zu ermöglichen, in dem Bewußtsein, daß der Geist, wenn er frei schalten und walten kann, genau die Änderung der Form vornimmt, die notwendig ist.

Es gibt gewisse spirituelle Pole, an denen sich die physische Materie sammelt. Jeder primäre Strahlungspunkt im physischen Körper, also jede endokrine Drüse, hat ein besonderes, ihr zugeordnetes geistiges Prinzip. Die folgende Aufstellung macht diese Beziehung deutlich:

DRÜSE	GEISTIGES PRINZIP
Zirbeldrüse	Liebe
Hirnanhangdrüse	Spiritueller Schoß
Schilddrüse	Leben
Thymusdrüse	Reinheit
Langerhans'sche Inseln	Segen
Nebennieren	Sinnerfüllung
Geschlechtsdrüsen	Neue Erde

Während wir uns durch die Chakren bewegen, wirst du dir jedes einzelne geistige Prinzip bewußt machen und die

Wirkung, die das Spirituelle (oder sein Fehlen) auf die physische Form hat. Du hegst und pflegst jeden dieser Aspekte im Kind und ermöglichst eine optimale Übertragung der Energie zwischen dem Geist des Kindes und seiner Form.

Methoden

Die folgende Übung macht dich mit diesen Kontaktpunkten im Baby vertraut. Du kannst diese Übung mit einem Embryo machen, mit einem Kind nach der Geburt, aber auch mit einem Kind jeden Alters (möglichst während es schläft – aus Gründen, die jedem, der mit kleineren Kindern zu tun hat, einleuchten) – oder mit deinem Partner.

Wenn beide Partner diese Übung gemeinsam mit dem Kind machen möchten, sollte einer der Partner die vorherige Übung anwenden und eine Verbindung durch Energie herstellen, während der andere die nächste Übung nach einem besonderen Schema durchführt (siehe Fotos auf den Seiten 75 und 76). Eine andere Möglichkeit: ein Elternteil lenkt die Energie zum Kind, indem er die Kontaktpunkte des Partners nutzt. Das heißt: der künftige Vater bzw. die künftige Mutter arbeitet mit der Energie des Partners – immer auf das Wohl des Kindes gerichtet.

Wenn eine Mutter diese Übung alleine macht, während sie das Kind im Mutterleib trägt, kann sie auch die Handstellungen A und B verwenden – die Einzelheiten sind in der Aufstellung und den Abbildungen unten erläutert.

Bevor du mit der Übung Zwei beginnst, schaffe dir eine ruhige und störungsfreie Umgebung. Ein abgedunkelter Raum mit nur ganz wenig Licht mag helfen. Spiele leise beruhigende Musik. Ein Freund oder dein Partner kann dir die Übung vorlesen, oder du kannst sie auf Kassette überspielen und ablaufen lassen. Wenn du die Übungskas-

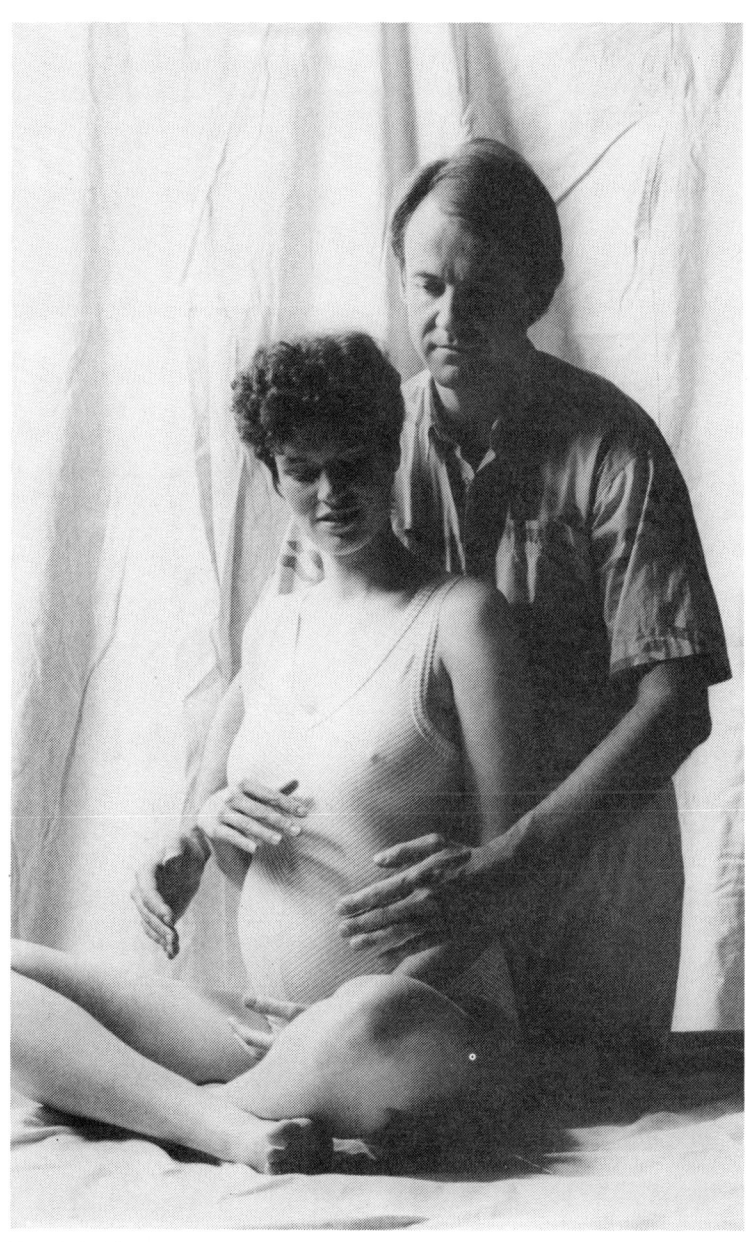

Energieübertragung – allgemein

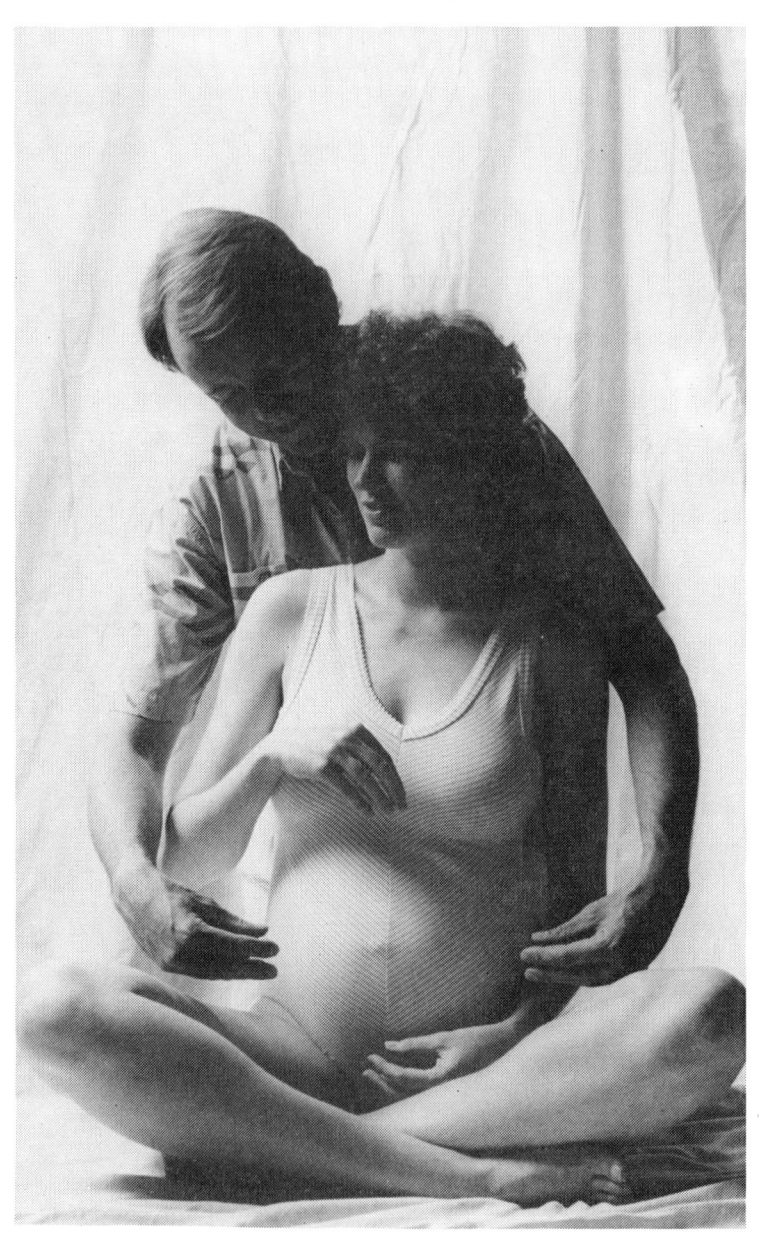

Energieübertragung – gebündelt

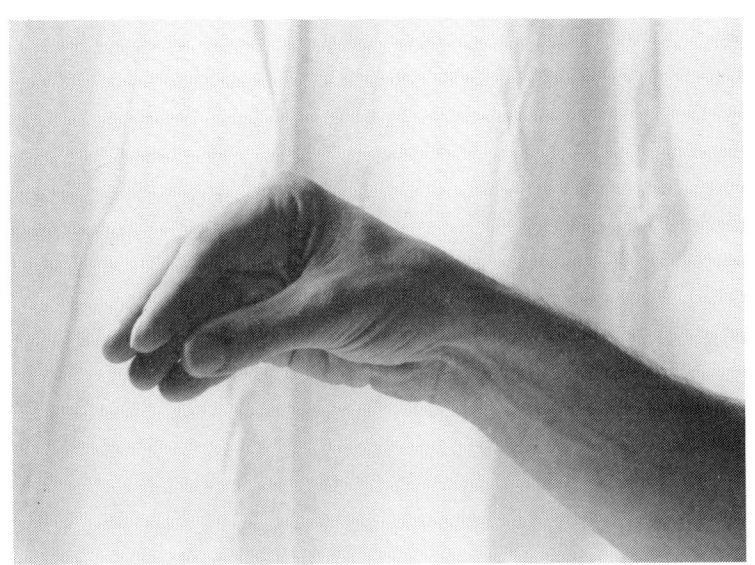

Handstellung A: Starke Bündelung

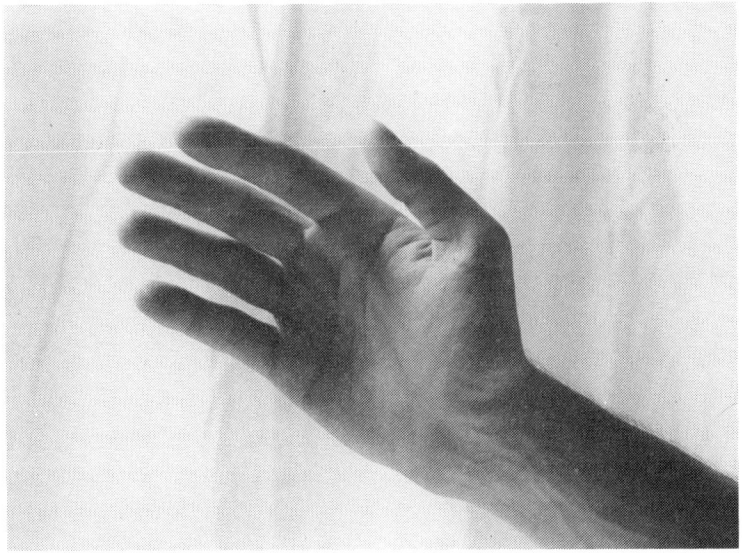

Handstellung B: Schwache Bündelung

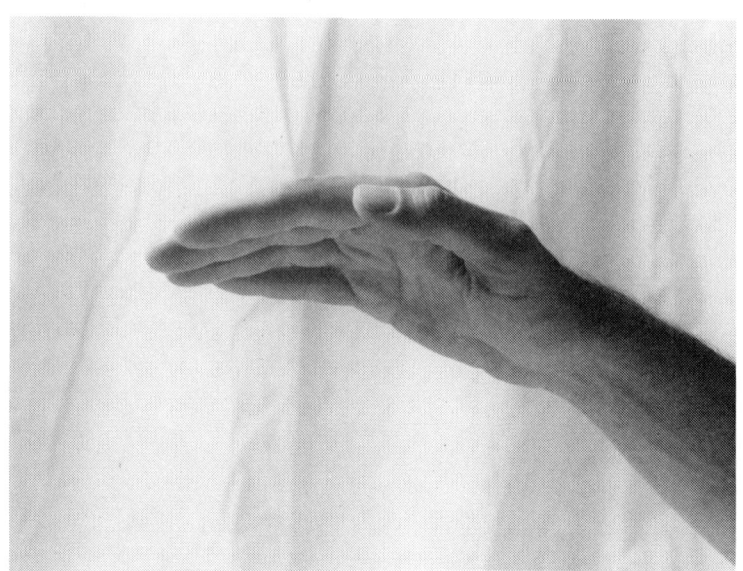

Handstellung B: Schwache Bündelung

Beispiel	Handstellung	Übung
Beide Eltern der Fötus	Mutter: A Vater: B oder Mutter: B: und Vater: A	Mutter: 2 Vater: 1 oder Mutter: 1 und Vater: 2
Beide Eltern Schlafendes Kind	Ein Elternteil: A der andere: B	Elternteil A: Übung 2 Elternteil B: Übung 1
Ein Elternteil Schlafendes Kind	A B	2 1
Nur die Mutter Fötus	A B	2 1
Nur der Vater Fötus	A B	2 1

sette „Zwiesprache – Kontakt mit der Seele deines ungeborenen Kindes" hast, verwende sie.

Wenn jeder Partner diese Übung für sich alleine macht, sollten beide gemeinsam mit den ersten zehn Absätzen der Zweiten Übung beginnen. Anschließend macht einer mit der Zweiten Übung weiter und der andere bei Absatz fünf der Ersten Übung. Schaut euch die Erklärung zu den einzelnen Drüsen am Anfang dieses Kapitels vor Beginn der Übung noch einmal an.

****

Zweite Übung

Schließe die Augen. Atme aus und laß all die alte abgestandene Luft aus deinen Lungen heraus. Entspanne dich und atme reine frische Luft ein. Dies wiederhole mehrmals. Mit jedem Atemzug spürst du, wie die Spannung deinen Körper verläßt. Fühle beim Einatmen, wie frische Luft durch deinen Kopf streicht, über deine Gedanken, und alle Sorgen aus deinem Kopf vertreibt. Laß allen Ärger, alle Probleme los. Laß die kühle, weiße, frische Luft deine Enttäuschungen glätten und über die rauhen Stellen in deinem Leben hinwegstreichen.

Stell dir vor, wie dein Körper mit grüner Eenergie gefüllt ist. Diese grüne Energie ist die Spannung, die sich in deinen Muskeln und Organen angesammelt hat. Fühle, wie diese Energie alle deine Glieder anfüllt. Beginne bei den Füßen. Mit jedem Ausatmen spürst du, wie die Energie aus den Füßen herausfließt. Atme so oft aus, bis du die grüne Flüssigkeit aus jeder Ecke und jedem Winkel deiner Füße vertrieben hast.

Dann gehe zu den Waden, Hüften, zum Becken über und arbeite dich weiter nach oben. Nimm dir möglichst viel Zeit, bis die grüne Spannungsenergie völlig herausgeflossen ist. Wenn deine Schultern völlig frei von dieser flüssigen grünen Energie sind und sich jeder Teil deines Körpers völlig gereinigt fühlt, dann schau dir die Energie in deinem Kopf an. Beginne hinter den Schläfen und atme die grüne Flüssigkeit mit jedem Atemzug aus – so lange, bis dein Kopf frei ist von dieser Energie und weder Spannung noch Verhärtungen zurückgeblieben sind.

Schließlich reinige Hals und Mund von dieser Flüssigkeit und spüre, wie entspannt dein Körper geworden ist.

Jetzt richte deine Aufmerksamkeit noch einmal auf jeden Teil deines Körpers und schau, ob du noch irgendwo Nischen mit Spannungsenergie findest. Suche all die versteckten Orte, wo sich die Spannung verborgen hält und laß sie ganz leicht mit deinem Atem herausfließen.

Du bist jetzt eine leere Hülle, rein und schlaff. Hinter dir kannst du die Präsenz eines anderen Wesens spüren. Dieses andere Wesen ist eine schöne, strahlende Präsenz. Es ist nichts als Liebe für dich. Seine Präsenz bringt dich zu voller Entfaltung, und du verschmilzt mit ihr. In der Wolke seiner Nähe bist du zu Hause. Sie begrüßt dich in dir selbst und dein Herz kann ausruhen in dem Bewußtsein, daß du nach Hause gekommen bist. Du bist frei, geborgen und sicher. Du fühlst, wie dich ein Gefühl von Dankbarkeit durchflutet, daß du endlich wieder Verbindung zu diesem Wesen bekommen hast, deinem wahren Selbst.

Spüre, wie vollkommen dieses Wesen ist, wie schön. Spüre, wie nichts in dieser Wolke von Energie dich jemals bedrohen, stören oder aufregen wird. Es ist ganz du. Es ist wahrhaftig du. Schau und sieh dir diese Erscheinung an – dieses Wesen, das du bist. Sieh dir die phantastischen Farben, die vollkommenen Formen an. Nimm dir soviel Zeit, wie du möchtest, um das Wunder dieses Wesens zu erfahren. Schaue dir die Einzelheiten seiner Form an, und wie sie ineinanderfließen. Vereinige jeden Teil deines Selbst mit diesem Wesen in ekstatischer Verschmelzung.

Sieh, wie ein Strom von Licht von oben herunterkommt und sich auf deinem Kopf niederzuläßt. Dieser Strom ist weiß, glänzend, rein, und er badet dich in sanftem Licht. Stell dir die Quelle dieses Lichtes vor. Das Licht kommt von der Quelle des Lichts, dem höchsten Wesen der Liebe, dem Einen, das die Verantwortung für die Ordnung in dieser Welt hat. Welche Vorstellung du auch immer vom Höchsten Göttlichen hast, stell dir vor, wie das Licht von diesem Einen deinen Scheitel berührt. Fühle, wie du auf dieses unendliche Meer der Liebe antwortest. Fühle, wie deine Dankbarkeit diesen Lichtstrahl emporsteigt.

Jetzt stelle dir den Strom von Licht vor, wie er über deinen Körper fließt und an deinen Armen hinunter bis in die Hände. Während er über deine Hände fließt, halte sie so, daß du diese Energie bündelst, indem du alle vier Finger und deinen Daumen zu einer Spitze formst (Handstellung A). Richte den Strom der Energie auf das Energiefeld deines Kindes. Während die Energie das Kind berührt, verstärken sich die Farben und die Intensität seines Energiefeldes. Halte deinen Energiestrom fest gebündelt, indem du deine Finger als Zeiger verwendest. Während du das Kind in diesem Licht badest, spüre, wie es auf deine unsichtbare Berührung reagiert.

Jetzt öffne die Hände, so daß die Energie breiter gestreut wird (Handstellung B). Halte sie etwa 30 bis 50 cm vom Baby entfernt. Laß aus deinen Händen einen festen Energiestrom fließen und spüre die Intensität deines eigenen Feldes und das deines Babys. Schau dir alle Einzelheiten an. Welche Farben siehst du? In welchen Strukturen bewegen sie sich? Welche anderen Eigenschaften erkennst du? Haben sie sich seit dem letzten Mal verändert?

Nachdem du das allgemeine Energiefeld des Babys gespürt und deine Energie über die flachen Hände auf das Baby gerichtet hast, forme mit den Fingern eine Spitze, um die Energie stärker zu bündeln (Handstellung A). Aus einem allgemeinen Strahlen im Bereich deiner Hände sammelt sich die Energie zu einem gebündelten Strahl.

Richte diesen Stahl auf den Punkt bei dem Baby, wo sich Kopf und Oberkörper verbinden. Der Kopf ist die Stelle, wo die kosmische Steuerung erfolgt, und der Rumpf der Punkt, an dem die Erde antwortet. Während du dies tust, mach dir ein ganz intensives Bild von deinem Kind, das stets offen ist für alle kreativen Einflüsse, die ununterbrochen vom Kosmos hereinströmen. Spüre alle Blockaden auf, die diesen Strom daran hindern, frei zu fließen, so daß die Energie des kosmischen Plans

*ungehindert vom Kosmos, dem Bereich der Aktion, in die Erde,
den Bereich der Re-Aktion, fließen kann. Mache dir ein Bild
deines Kindes, das gerade an diesem Punkt immer ein stabiles
Gleichgewicht hält, mit Himmel und Erde gleichermaßen verbunden in der göttlichen Vereinigug schöpferischer Energien
(Erste Lichtmeditation).*

*Sobald dieses Aktionsmuster im Embryo richtig angelegt ist,
wirst du spüren, daß die Lichtarbeit an diesem Punkt beendet ist
und du weitergehen kannst.*

*Bewege deine Hände, zu einer Spitze geformt, bis in die Mitte
des Schädels deines Kindes und richte die Energie gebündelt auf
diese Stelle. Du spürst die Silberschnur, die vom Himmel herunterkommt, am Verbindungspunkt deines eigenen Kopfes.
Spüre, wie die Energie aus deinen Händen strömt und eine
Verbindung zu demselben Punkt auf dem Scheitel deines Kindes
schafft. Sieh die Silberschnur, die vom Scheitelpunkt deines
Kindes heraustritt und bis in den Kosmos reicht. Sieh, wie die
Verbindung mit dem Kosmos stärker wird, während die Energie
weiter aus deinen Händen strahlt. Sieh, wie die von oben herab-
kommende Silberschnur deines Kindes voller Energie pulsiert.
Spüre die Liebe, die sich aus dieser geistigen Verbindung über
dein Kind ergießt (Zweite Lichtmeditation).*

*Halte einige Minuten inne und freue dich. Freue dich an
diesem Strom. Erst dann, wenn sich dieser Strom stabilisiert hat,
stetig und gleichbleibend geworden ist, gehe zum nächsten Kontaktpunkt über.*

*Er liegt genau unter dem ersten, wenn man vom Scheitel des
Kindes den Körper hinuntergeht. Es ist die Hirnanhangdrüse.
Sie verkörpert den Spirituellen Schoß und liegt so nahe an der
Zirbeldrüse, daß du die Hände nur ganz wenig bewegen mußt,
um sie zu erreichen. Wiege den Spirituellen Schoß in deinen
Händen. Spüre, wie die geistige Kraft wächst, während du deine
eigene Kraft ausgießt. Spüre, wie die Energie aus deinen Händen
strömt, um diesen Teil des Kindes mit Energie zu füllen. Während sich der Lichtstrom verstärkt, spürst du, wie deine eigene
Hirnanhangdrüse zu glühen beginnt. Der Spirituelle Schoß ist
ein Symbol für den Sitz der Wahrheit. Wahrheit ist die Kom-*

mandozentrale für den restlichen Körper. Wenn du diese Drüse berührst, verteilst du die ganze Wirkung deiner Strahlungsenergie auf die anderen Drüsen und Systeme (Dritte Lichtmeditation).

Genieße für ein paar Minuten nur diesen Kontakt. Wenn dieser gleichbleibend stark ist, gehe zum nächsten Kontaktpunkt über. Die Schilddrüse stellt das geistige Prinzip des Lebens dar. Während du deine Hand hinabbewegst, um mit diesem Prinzip Verbindung aufzunehmen, stell dir vor, wie dein Kind vor Leben glüht. Stell dir das ganze Kind vibrierend vor Energie, von Leben strotzend, voller Vertrauen.

Werde dir erneut deiner Atmung bewußt. Hauche den Atem des Lebens in das dritte Chakra des Kindes. Mit jedem Ausatmen stellst du dir vor, wie eine leichte blaßblaue Flüssigkeit in die Kehle deines Kindes fließt. Diese blaue Flüssigkeit schenkt deinem Kind ein erfülltes, wunderbares Leben.

Wenn die Verbindung zur Schilddrüse stabil ist, gehe zum nächsten Kontaktpunkt über.

Die Thymusdrüse stellt das geistige Prinzip der Reinheit dar. Wenn du deine Hand hinunterbewegst, um diesen Punkt zu berühren, siehst du, wie dein Kind von allen Unreinheiten befreit ist. Sieh, was mit der negativen Energie, die dort aufgenommen wird, geschieht: Sie geht ganz einfach durch das System hindurch, ohne dem Kind zu schaden. Weil das Filtersystem einwandfrei funktioniert, bleibt das Gift, das von ihm aufgenommen wird — physisch, emotional oder mental – nicht haften. Während dein Kind auf seiner Reise durch die Welt ist, kann es die Erde reinigen — einzig und allein durch die Tatsache, daß es auf dieser Welt ist, (Fünfte Lichtmeditation).

Wenn du das Gefühl hast, daß das Reinigungssystem des Kindes einwandfrei arbeitet, freue dich ein paar Minuten an dieser Vollkommenheit und gehe dann zum nächsten Kontaktpunkt weiter. Die Langerhans'schen Drüsen stellen das geistige Prinzip des Segens dar. Sieh, wie dein Kind zum Segen der Menschen wird. Betrachte das Leben deines Kindes als Segen Gottes. Stell dir dein Kind als einen Lichtstrahl vor, der auf seinem ganzen Weg über die Erde allem, was er berührt, Segen bringt. Sieh, wie sich Gott über dieses Kind freut.

Stell dir vor, wie die Hand deines Kindes die Hände aller Menschen, die es jemals treffen wird, berührt; ihre Hände sind gesegnet allein durch die Berührung der gesegneten Hand deines Kindes. Stell dir weiter vor, wie es deinem Kind gelingt, einen Weg zu finden, auch die Menschen zu segnen, die sonst niemand berührt. Während deine Strahlungsenergie von deinen Händen strömt, male dir aus, wie es deinem Kind gelingt, immer stärker Segen zu verbreiten (Sechste Lichtmeditation).

Wenn die Anlage in deinem Kind, zum Segen der Menschheit zu werden, stark und stabil ist, dann geh mit deinen Händen zum nächsten Kontaktpunkt weiter.

Das geistige Prinzip der Sinnerfüllung wird im menschlichen Körper durch die Nebennieren dargestellt. Stell dir dein Kind als zielstrebig vor, das sich darauf konzentriert, Gott zu dienen. Versuche nicht, dir auszumalen, was dies bedeuten könnte. Das Kind wird seinen eigenen Weg finden, dem Göttlichen zu dienen. Aber das geistige Prinzip für das Einzige Lebensziel bedeutet, daß das Kind seine Augen immer auf das wichtigste im Leben gerichtet hält: die Verbindung zum Göttlichen.

Das Kind wird in dieser Welt leben, aber es wird seinen Blick immer auf das Göttliche richten; von geringeren Zielen wird es sich nicht ablenken lassen. Mit der Fixierung dieses Ziels wird ihm alles, was es anfängt, gelingen. Es wird in allem das Göttliche sehen und ein durchgeistigtes Leben führen, voller Wunder. Mit diesem auf das Göttliche gerichteten Lebensziel wird alles andere von selbst kommen. Alles wird zum Wohl dieses werdenden Menschen geschehen, wenn das geistige Prinzip der Sinnerfüllung verankert ist (Siebte Lichtmeditation).

Zelebriere mit deinem Kind dieses geistige Prinzip durch die Strahlung deiner Hände. Wenn du das Gefühl hast, daß diese Form der inneren Bindung fest und unerschütterlich ist, gehe mit den Händen zum nächsten Kontaktpunkt.

Die Keim- oder Geschlechtsdrüsen stellen das geistige Prinzip der Neuen Erde dar. Während die Energie zu diesem Punkt im Körper des Babys durch deine Hände fließt, laß das geistige

Prinzip der Neuen Erde in deinen Geist einströmen. Die Neue Erde entsteht dann, wenn sich das Neue Bewußtsein durchgesetzt hat.

Wenn die spirituelle Ausrichtung deines Babys stark genug ist, ausgerichtet auf das Neue Bewußtsein, wird das Kind mit allem, was es auf der Alten Erde tut, die Neue Erde schaffen. Heutzutage spüren wir immer intensiver, daß der Geist aller Dinge hinter ihrer äußeren Form liegt. Dieses Baby wird sich in wunderbarer Weise dem geistigen Prinzip weihen. Mit dieser Weihe regelt sich die Form der Dinge von allein.

Stell dir vor, wie dein Baby alles mühelos auf der Erde schafft, weil für dieses Kind die geistige Ebene die primäre Realität darstellt. Es reagiert nicht auf die Erde; es reagiert auf den Kosmos, und als Belohnung fließt die Kraft des Kosmos herab, um sich auf der Erde durch das Kind zu manifestieren. Wenn dies geschieht, entsteht die Erde neu. Sie wird noch einmal erschaffen und gesegnet – durch Menschen, die ihr Lebensziel im Göttlichen sehen. Dein Baby wird die Erde erneuern, denn es lebt im Bewußtsein des Kosmos (Achte Lichtmeditation).

Freue dich einige Augenblicke an dieser Energie, während du spürst, wie durch die Keimdrüsen deines Babys ein stabiler Kontakt zum geistigen Prinzip der Neuen Erde besteht.

Wenn du deine Energie auf die Keimdrüsen gelenkt hast, bewege deine Hände wieder am Körper des Babys hinauf bis zu dem Punkt, wo du begonnen hast: dem Halsbereich zwischen Kopf und Rumpf. Spüre den Verbindungsstrahl zwischen dem Geist des Kosmos und dem Geist der Erde, wie er durch diesen Punkt am Körper des Babys hindurchgeht. Vielleicht ist dieser Strom deutlich stärker als zu Beginn, oder aber er ist unverändert. Beides ist richtig. Freue dich ein paar Minuten an der Lebenskraft, die durch den Körper deines Kindes vom Kosmos in die Erde strömt (Zwölfte Lichtmeditation).

Dann bewege die Hände sanft nach oben, als wenn du den Kopf deines Babys wiegen würdest. Ändere die Handstellung von einer starken Bündelung (Handstellung A) in eine sanfte Bündelung (Handstellung B). Stell dir vor, du wiegst den Intellekt deines Babys. Stell dir die Gedanken vor, die ihm in diesem

Augenblick durch den Sinn gehen, voller Kreativität und Frieden.

Male dir in Gedanken aus, wie dieses Kind sein ganzes Leben lang jeden segnet, den es berührt – einzig und allein durch seine Gedankenkraft. Stell dir vor, daß es mit seinem bewußten Verstand ganz leicht die Schönheit, die in ihm liegt, leben kann. Stell dir seine Worte und Gedanken vor, die während seines irdischen Daseins Tausende von Menschen erreichen und jedem von ihnen, an den es jemals denkt oder mit dem es jemals spricht, Heilung bringt (Neunte Lichtmeditation).

Nachdem du eine Weile den Kopf deines Babys auf diese Art und Weise in den Händen gehalten hast, bewege deine Hände erneut. Lege jeweils eine Hand auf eine Seite der Silberschnur, die das Baby mit dem Kosmos verbindet. Halte die Hände offen und richte die Handflächen vom Baby weg hinauf zum Kosmos. Danke für diese Erfahrung! Danke für das Wunder, daß du bewußt mit deinem Baby Kontakt gehabt hast.

Gib dieses Kind, das dir als Geschenk gegeben wurde, als Geschenk an den Kosmos zurück. Sei dir bewußt, daß es nicht dein Kind ist, sondern das Kind des Kosmos – das Geschenk, mit dem der Kosmos die Erde segnet. Durch diesen werdenden Menschen berührt der Geist des Kosmos den Geist der Erde. Betrachte dein Kind als lebende Gabe, die du dem Kosmos anbietest.

Danke für das Privileg, daß der Geist des Kosmos gerade durch dich in dieses Kind strömt – durch dich als Medium, durch deine Eigenschaften in Herz, Körper, Verstand und Geist. Spüre, wie erfrischt du selbst dich fühlst – du bist Kanal für die göttliche Kraft, die sich in die menschliche Form ergießt.

Werde dir allmählich deines Atems bewußt; atme ein und aus, ein und aus, ein und aus. Spüre, wie deine Form aus Licht deine physische Form erfüllt. Spüre, wie sich jede Zelle deines Körpers mit diesem strahlenden Licht füllt. Spüre jeden Teil deines physischen Körpers. Wenn du bereit bist, öffne die Augen.

****

86

Variation zur Zweiten Übung

Wenn du während dieser Übung merkst, daß deine Gedanken auf Reisen gehen oder du dich zeitweilig nicht so
stark konzentrieren kannst, achte darauf, daß du rhyth-
misch atmest. Dein Atem wird immer die Verbindung
zwischen dir und der Ebene der Materie sein.

Du kannst diese Übung auch abändern:

Anstatt beide Hände in Handstellung A zum Kind hin
zu halten, halte eine Handfläche während des gesamten
Vorgangs offen nach oben (Handstellung B). Dies verbindet dich noch stärker mit dem Geist und wird dich davor
bewahren, die geistigen Verbindung aus den Augen zu
verlieren, die der Zweck dieser Übung ist.

Vielleicht stellst du fest, daß eine Hand bei dieser Übung
eine vorherrschende Rolle einnimmt. Wenn dies so ist,
stell dir vor, wie der Strom aus dieser Hand in das Baby
fließt, durch das Baby hindurch, zurück in die andere
Hand und von dort wieder nach oben in den Kosmos.

Die Hand, die bei dieser Übung bestimmend ist, muß
nicht die Hand sein, die du normalerweise bei deinen
irdischen Tätigkeiten benutzt. Vielleicht bist du Linkshän-
der, spürst jedoch, daß die rechte Hand für die Energieübertragung die geeignetere ist. Vielleicht ist es auch so,
daß eine Hand während einer Phase führt und bei einer
anderen Meditationsphase die Führung auf die andere
Hand übergeht. Deine Sensibilität den geistigen Strömun-
gen gegenüber nimmt mit jeder Übung zu, und bald wirst
du die subtilen Energieunterschiede spüren.

---

* Gilt bisher leider noch nicht für den deutschsprachigen Raum.

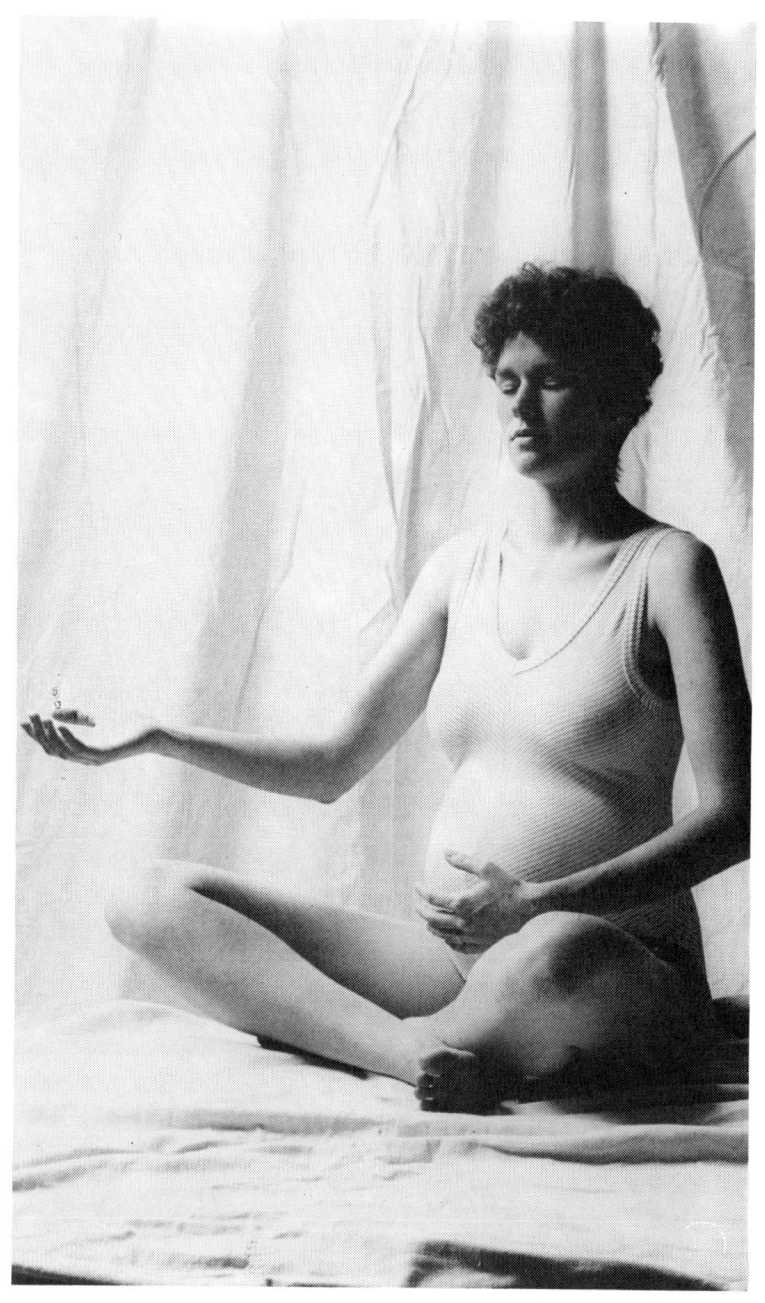

6

Energie für die Zirbeldrüse

Das geistige Prinzip der Liebe

Physische und spirituelle Erscheinungen

Das oberste Chakra wird normalerweise als Kronenchakra bezeichnet. Manche interpretieren den Heiligenschein bei Figuren auf alten Bildern, oft auch als goldene Kugel oberhalb des Kopfes dargestellt, als Kronenchakra.

Dem Kronenchakra im physischen Sinne zugeordnet ist die Zirbeldrüse. Sie ist die kleinste endokrine Drüse im Kopfbereich und liegt zwischen dem rechten und linken Hirnlappen.

Bisher hat man noch keine eindeutige physiologische Bedeutung für die Zirbeldrüse gefunden, wohl aber eine Reihe von Theorien. Lange hat man sie für ein verkümmertes Organ gehalten, das keinen praktischen Wert hat. Im 19. Jahrhundert war es für Chirurgen üblich, die Organe herauszuschneiden, die sie für wertlos hielten. Die Zirbeldrüse, für die normale Operationstechnik fast unzugänglich, ist ihnen zum Glück entgangen.

Das geistige Prinzip, das sich mit der Zirbeldrüse verbindet, ist das der Liebe. Es ist das höchste von allen. Die Liebe regiert alles andere. Sie ist die Hauptverbindung mit dem Göttlichen. Solange diese Verbindung nach oben besteht, lebt unser physischer Körper; wenn sie gelöst ist, stirbt er.

Die Zirbeldrüse stellt den transzendenten Punkt dar, an dem der unmanifestierte Teil des Geistes als Form zuerst manifest wird. Die Meditationen in den nächsten Kapiteln müssen in Verbindung mit der Zweiten Übung in Kapitel 5 angesehen werden.

Die Erste Lichtmeditation beginnt mit der Verbindung zwischen Kopf und Hals, dem Übergangspunkt, und die Zweite Meditation setzt an der Zirbeldrüse ein. Die Übung Zwei in Kapitel 5 kann in Verbindung mit irgendeiner oder mit allen Lichtmeditationen in den folgenden Kapiteln gemacht werden.

****

Erste Lichtmeditation

Die Verbindung zwischen Himmel und Erde (Atlas-Axis-Wirbel*) Beginne, bewußt zu atmen. Atme immer langsamer bis zu dem Punkt, wo du dir jeden Teil des Weges bewußt machst, den die Luft beim Ein- und Ausatmen nimmt. Stimme dich so auf die Energie deines Atems ein, daß du jedes Molekül wahrnimmst, das dein Atmungssystem passiert. Spüre mit jedem Einatmen die Verbindung mit dem Geist. Sauge mit jedem Einatmen die Energie der göttlichen Wahrheit auf. Konzentriere dich mit dem Verstand, den Gedanken, all deiner Aufmerksamkeit auf strahlende Liebe.

Spüre, wie mit jedem Ausatmen deine eigene Präsenz stärker wird. Mit jedem Ausatmen wächst die Kraft deiner spirituellen Präsenz. Spüre, wie sich die Stärke der Strahlung, die du reflektierst, intensiviert. Werde völlig und kraftvoll du selbst.

Bündele die Energie, die dich durchströmt, indem du mit beiden Händen die Handstellung A einnimmst. Lege die Hände auf jede Seite am oberen Teil des Halses des Babys. Dort liegen der Atlas- und Axiswirbel, auf denen sich der Kopf dreht. Spüre, wie die Energie aus deinen Händen in diesen Bereich strömt.

Dieser Punkt stellt die Verbindung zwischen Himmel und Erde dar. Der Himmel ist der Bereich der Führung, der Aktion – hier durch den Kopf symbolisiert – die Erde der Bereich der Re-Aktion, die Antwort auf den Willen und die Programme, die vom Himmel kommen. Dieser Bereich wird vom Rumpf vertreten. Wenn diese Verbindungsstelle durchgängig ist und einwandfrei funktioniert, dann können die Kräfte des Himmels durch diesen Punkt zur Erde fließen.

Stell dir diesen Übergangspunkt als einen vollständig durchgängigen Kanal für die spirituellen Kräfte vor, die deinem Baby Form verleihen. Löse mit der Liebe, die aus deinen Fingern strömt, ganz sanft alle Blockaden in diesem Kanal. Spüre, wie die göttliche Energie ungetrübt und frei auf diesem Weg in die physische Form fließt. Halte deine Hände in unveränderter Haltung über diesem Punkt, bis du spürst, daß die Energie an dieser Stelle ungetrübt und ungehindert fließt. Stetig und stabil sollte der Strom sein, bevor du weitermachst.

Wenn du spürst, daß dieser Energiefluß stabil ist, bewege deine Hände langsam bis zu der höchsten Stelle am Schädel des Babys.

Bewege deine Hände ganz sanft und sei dir ganz deutlich bewußt, daß du den geheiligten spirituellen Körper eines anderen Wesens berührst.

Zweite Lichtmeditation

Das geistige Prinzip der Liebe: die Zirbeldrüse

Bewege deine Hände sanft im Kopfbereich des Babys hin und her, bis du mit deinen geistigen Augen erkennst, daß du guten Kontakt mit der Zirbeldrüse des Babys hast. Stell dir vor, wie sich ein Strom von Licht aus deinen Händen in die Drüse ergießt. Es ist ein klarer weißer Strahl Liebe, einem Laserstrahl nicht unähnlich. Er stimuliert diesen Bereich und verfestigt die

Verbindung mit dem Strom der Gottesliebe, die von oben in den Kopf des Babys eindringt.

Sieh den Strom vibrierender Energie, der sich vom Himmel auf den Scheitel des Babys ergießt und das Kind mit Gott verbindet. Streichle diesen Strom Licht. Freue dich über die Verbindung, die zwischen dem Allgöttlichen, dem Tao, und der irdischen Form geschaffen wird. Wiege diesen Energiestrahl in deinen Händen, während du seine Verbindung mit dem physischen Kontaktpunkt in der Zirbeldrüse zelebrierst.

Sprich die folgenden Leitsätze und laß sie durch dich in das Kind hineinströmen:

„Du bist Liebe. Liebe ist die Basis für alles, was du tust. Liebe ist die Essenz deiner Natur. Liebe ist der Sinn deines Lebens. Dieser konstante Strom göttlicher Liebe erhält deinen physischen Körper am Leben. Wenn es die Silberschnur nicht gäbe, würde deine physische Form aufhören zu leben. Die Licht-Liebe-Säule durchdringt jede Zelle deines Körpers. Sie dringt in jede andere endokrine Drüse und jedes andere Chakra. Liebe ist das oberste Gebot des Universums, mit dem alles verbunden sein muß, um überleben zu können. Mein Liebstes, mach Liebe zum Zentrum deines Lebens. Sie ist der Angelpunkt, um den sich alles dreht. In diesem Moment verbinde ich meine Liebe mit der deinigen, der Moment, in dem sich unsere Säulen aus Licht und Liebe miteinander vereinen. Sie werden stärker, indem sie sich gegenseitig stärken. Hier und jetzt bekräftige ich meine Einheit mit dem Göttlichen. Nur durch diese Verbindung kann ich dir dieses Geschenk machen — nur die Kraft meiner eigenen spirituellen Mitte macht es mir möglich, diesen Strom von Liebe zu leiten, zu bündeln und auf dich zu richten. Wisse, mein Kind, daß diese Liebe nicht von mir als Mensch kommt. Sie ist eine freiwillige Gabe Gottes. Ich öffne mein Herz und empfange sie – und nur so kann ich sie ungehindert an dich weitergeben.

Nie im Leben wird dir Liebe fehlen. Es gibt keinen Mangel an Liebe. Du brauchst keine Liebe zu horten oder zu befürchten, deine Liebe könnte nicht für andere reichen, wenn du bereits einige Menschen liebst. Du kannst Liebe nicht fordern, und du kannst Liebe nicht besitzen: du kannst Liebe nur verschenken. Wenn sie geschenkt wird, fließt sie überreichlich in das Herz des Gebenden zurück. Gott ist Liebe. Gott ist unendlich. Also ist auch die Liebe unendlich. Ich zelebriere in diesem Moment deine Verbindung mit in Liebe Gott."

Wenn du das Gefühl hast, daß der Strom von Liebe so vollständig wie möglich von der physischen Form des Babys aufgenommen wird, gehe mit deinen Händen langsam zum nächsten Kontaktpunkt über.

---

* Die beiden obersten Halswirbel.

7

Energie für die Hirnanhangdrüse

Das geistige Prinzip der Wahrheit

Dritte Lichtmeditation

Werde dir bewußt, wie tief entspannt dein Körper ist. Atme tief ein und aus. Mit jedem Einatmen ziehe strahlendes weißes Licht in deine Lungen. Spüre mit jedem Ausatmen, wie du mehr und mehr zu dem Punkt wirst, in dem sich die Energie sammelt. Fühle, wie diese Energie, die dich als Kanal durchströmt, mehr und mehr gebündelt und immer stärker wird.

Bewege deine Hände bis zu dem Punkt an der Stirnmitte des Babys — kontrolliere den Sitz der Hirnanhangdrüse auf der Zeichnung in Kapitel 5, wenn du nicht sicher bist. Mit deinen geistigen Augen findest du diesen Punkt. Spüre, wie sich von deinen Fingerspitzen ein kräftiger Strom Licht löst und in die Hirnanhangdrüse strömt. Laß zu, wie dein Intellekt sich mit dem Geist der Wahrheit des Spirituellen Schoßes vermischt. Werde dir ganz deutlich der von dir geschaffenen Atmosphäre des Umhegens, der Sicherheit und des Schutzes bewußt.

Der Schoß ist der Ort, an dem Leben entsteht. Da du dich auf die Schwingungen einstellen kannst, in denen das Leben entsteht, wird, wenn du erst genügend Übung darin hast, Leben fließen. Der Schoß, in dem Leben entsteht, ist der Schoß der Wahrheit. Im Schoß der Wahrheit wird der Samen der Liebe befruchtet. Das Produkt ihrer Vereinigung ist das Leben.

Male dir in allen Einzelheiten aus, wie sich dein Baby in einer Art und Weise entwickelt, die der inneren Realität entspricht. Laß keine Abweichung von der vollkommenen Bündelung der Wahrheit zu. Die Hirnanhangdrüse ist die wichtigste Drüse überhaupt, denn ihre Hormone beeinflussen die Hormonbildung der anderen Drüsen. Stell dir die Kontrolle vor, die von dieser Drüse ausgeht – der Wahrheit ganz nahe.

Während der Geist des Spirituellen Schoßes deinen Intellekt erfüllt, verstärke den Strom der Wahrheit unter Führung des Geistes der Liebe durch deine Hände. Laß den Strom der Wahrheit noch stärker werden. Nach jedem Ausatmen atmest du den Geist der Wahrheit in Herz und Hirn des Babys. Laß zu, wie sich die wichtigste Drüse in deinem Hirn mit dem Geist der vollkommenen Wahrheit verbindet. Laß sie dort immer unverändert bleiben. Spüre die unendliche Liebe, die von oben herabströmt. Sie entzündet die Wahrheit in deinem Herzen und schenkt deinem Intellekt die Erkenntnis der Wahrheit. Halte an diesem Strom der göttlichen Wahrheit fest, der sich ununterbrochen vom Himmel ergießt.

Stell dir eine strahlende Verbindungslinie zwischen dem Zentrum der Wahrheit in deinem Kopf und dem deines Babys vor. Wenn du unerschütterlich in der Wahrheit bist, dann muß auch dein Kind unerschütterlich in der Wahrheit werden. Während du in deinem Bewußtsein Raum schaffst für nichts als die Wahrheit – und Falschheit, Lügen, Täuschung, Wankelmütigkeit keinen Platz einräumst – dann wird das Licht der Heiligkeit auch in deine physische Form fließen. Die Wahrheit der Liebe wird sich erheben und jeden Teil deiner emotionalen, mentalen und physischen Welt segnen.

Wenn du dir deiner eigenen Heiligkeit bewußt wirst, wird dein Kind Gott leibhaftig schauen. Und wenn deine Form zum Tempel Gottes wird, hat das Kind immer einen Ort der Anbetung. Diese deine Erfahrung wird zum Schoß, in dem der Geist der Wahrheit wohnt, und dein Kind wird in Geborgenheit aufwachsen. Der Schoß der Wahrheit ist das kostbarste Geschenk, das du deinem Baby machen kannst.

Wenn dieser Geist durch deine Finger in Handposition A, auf die Hirnanhangdrüse des Kindes gerichtet, zu vollem strahlenden Licht geworden ist – werde dir deiner Atmung wieder bewußt. Du atmest die Liebe Gottes ein und Seine Wahrheit aus, die in deinem physischen Körper manifest geworden ist.

8

Energie für die Schilddrüse

Vierte Lichtmeditation

Das geistige Prinzip des Lebens

Ganz in der Nähe des Adamsapfels (der Vorwölbung in der Mitte der Kehle) sitzt die Schilddrüse. Sie ist das physische Gegenstück des geistigen Prinzips des Lebens.

Bewege deine Hände am Körper des Babys hinunter bis zu dem entsprechenden Punkt vorne an der Kehle. Halte die Hände in Handposition A, lenke den Energiestrom auf diesen Punkt und stelle eine Verbindung her. Vertraue dich ganz den unsichtbaren Strömen des Geistes an, die dich genau zur richtigen Stelle führen werden. Die Schilddrüse reguliert nicht nur den Stoffwechsel des Babys, sondern produziert auch ein Hormon, das für das körperliche Wachstum unumgänglich ist. Dies ist die wichtigste physische Manifestation der spirituellen Kraft in der Schilddrüse, um einen physischen Kontaktpunkt als Ausdruck des geistigen Lebensprinzips im Körper zu haben.

Leben ist eine Kraft, die sich unaufhaltsam Durchbruch verschafft, wenn der Schoß der Wahrheit dem ständigen Strom der Liebe ausgesetzt ist. Leben muß nicht erzeugt oder bewußt geschaffen werden. Es ist wie der Funke, der entsteht, wenn sich ein positiver und ein negativer Pol berühren. Der Funke als solcher muß nicht erst geschaffen werden; er ist die sichere Folge, wenn sich positive und negative Ströme treffen.

So bricht auch das Leben hervor, ganz von selbst, wenn sich Liebe und Wahrheit vereinen. Das Leben läßt sich nicht unterdrücken. Im Frühling explodiert die Natur mit unglaublich üppigem Wachstum und verschwenderischer Fülle frischer, strahlender Formen. Das angeborene Begehren der Natur, etwas Neues zu schaffen, kann nicht länger vom Winter unterdrückt werden und bricht aus, um die ganze Welt zu verändern. Und genauso ist es, wenn sich der Vater der Liebe und die Mutter der Wahrheit vereinen: das Kind des Lebens muß geboren werden.

Dieses Kind ist die heilige Verkörperung dieses Prinzips. Das Leben dieses Kindes muß nicht durch unseren bewußten Intellekt geschaffen werden. Nichts können wir aus eigennützigen Motiven tun, um das Wachsen dieses Kindes zu begünstigen. Wir können nur zurücktreten und dem Leben seinen Lauf lassen. Wenn dies geschieht, ist das Leben ganz von allein fähig, die unzähligen komplexen Faktoren zu organisieren, die für das Entstehen eines neuen Wesens notwendig sind. Es braucht keine Anleitung, was es zu tun hat. Geordnete Kreatitivät ist dem Leben angeboren. Das Leben ordnet und organisiert, und wenn wir eine Erweiterung unserer persönlichen Erfahrung zulassen, führt uns dies zu Sinnerfüllung, Seelenfrieden und innerer Harmonie.

Während deine Hände Liebe auf den Körper des Babys in den Bereich der Schilddrüse verströmen, stell dir vor, wie dieses Kind von Leben, Kraft und Freude strotzt – mit dem ungebremsten Schwung neuen Lebens. Male dir das Leben als strahlenden Strom von Energie aus, der den gesamten Planeten umgibt und alle Geschöpfe erfüllt. Und die Menge dieser heiligen Lebensenergie, der wir in unserem Körper Raum geben, ist gleichbedeutend mit dem Grad der Sinnerfüllung unseres Lebens.

Stell dir diesen Fluß der Lebensenergie vor, wie er ohne die geringste Behinderung durch den Körper des Kindes strömt. Und weiter stell dir vor, wie diese Lebensenergie zunimmt – immer stärker. Fühle, wie sich das Tempo des Lebensflusses im Baby beschleunigt, während sich die Lebensenergie durch die gebündelte Energie deiner Hände ergießt. Spüre, welche Kraft dadurch entsteht.

Während dieser starke Strom der Lebensenergie durch den Körper des Babys fließt, nährt und unterhält er das Kind; er bereichert seine Erlebnisfähigkeit. Stell dir diesen Fluß als sprudelnden Strom und nicht als spärliches Rinnsal vor. Laß den Strom durch deine, die Energie bündelnden Hände stärker werden. Während du die perlenden Körnchen Lebensenergie durch den Körper des Kindes fließen läßt, siehst du mit den geistigen Augen, wie sie immer stärker auch durch deinen eigenen Körper strömen.

Du kannst nicht geben, was du nicht hast. Nur wenn du zuläßt, daß sich der Lebensstrom in deinem Körper verdichtet, wirst du dieses unschätzbare Geschenk des Lebens mit deinem Kind teilen können. Stell dir vor, wie dein eigener Körper bis oben hin mit diesen fließenden, glänzenden Körnchen gefüllt ist. Stell dir die Freude Gottes vor, wenn er sieht, wie eines Seiner Geschöpfe so voll des Lebens ist, voller Bereitschaft, diese Energie auf das Kind zu übertragen.

Wenn du fühlst, daß dieser Lebensstrom gleichbleibend durch den physischen Körper des Babys fließt, halte deine Hände für einige Minuten unverändert, damit dieses Lebensprinzip fest verankert werden kann.

Werde dir deiner Atmung bewußt. Mit jedem Ausatmen spürst du, wie sich die Intensität dieses Lebensprinzips erhöht. Wenn du fühlst, daß es fest verankert ist, gehe zum nächsten physischen Kontaktpunkt über.

9

Energie für die Thymusdrüse

Das geistige Prinzip der Reinheit

Fünfte Lichtmeditation

Das geistige Prinzip der Reinheit ist in unserem Zeitalter von lebenswichtiger Bedeutung. Wir befinden uns mitten in einem Zeitalter der Reinigung, in dem die alten Wege verlassen werden. Die alte menschliche Ordnung, entstanden durch den Geist des Menschen, der sich von Gott entfernt hat, schaufelt sich mit letzter Kraft sein eigenes Grab. Die Morgenröte des neuen Lebens, für das die Kinder der Zukunft verantwortlich sein werden, ist schon in der Ferne sichtbar. An diesem Wendepunkt hat sich die gesamte menschliche Rasse für das Leben und gegen den Untergang entschieden, der unausbleiblich gewesen wäre, wenn wir uns an die alte Ordnung geklammert hätten – Vergessensein wäre unser Los gewesen.

Die Zeit bis zum Anbruch des neuen Zeitalters ist eine Zeit des Übergangs. Die Erde wird gereinigt. Dies geschieht durch den Himmel. Der Neue Himmel nimmt Form an und die Erde kann nicht anders, als darauf zu reagieren.

Unsere Aufgabe als bewußte Vertreter der Neuen Erde ist es nicht, uns einzumischen und die Erde zu ändern. Unsere Aufgabe ist es vielmehr, den Himmel zu ändern – den Himmel unseres Bewußtseins. Diese Reinigung erfolgt zuerst in den unsichtbaren Sphären. Wenn diese Reinigung auf der geistigen Ebene abgeschlossen ist, wird die Ebene der Materie mühelos folgen. Wir dürfen nie, nie, nie versuchen, die Form zu manipulieren. Ist der Geist rein, paßt sich die Form von selbst an.

Die Zeit der Reinigung ist die Zeit, in der viele der alten Formen verschwinden werden. Wenn wir uns an die Form klammern, werden wir mit ihr zusammen untergehen. Entscheiden wir uns jedoch für den Geist, dann bewirken wir die Wiedergeburt des Geistes. Es gibt massenweise Dinge, die im Feuer der Liebe verwandelt werden müssen. Alle alten Schöpfungen des menschlichen Geistes müssen durch das Fegefeuer gehen, damit sich herauskristallisiert, ob sie für die neue Welt tauglich sind.

Die Menschheit hat eine Menge Mist produziert, der den Reinigungsprozeß nicht überstehen wird. All dies wird in den kommenden Jahren durch ein Fegefeuer müssen. Daher ist es in der nächsten Zeit wichtig, daß unsere spirituellen und physischen Reinigungsmechanismen funktionieren. Der Thymusdrüse kommt dabei im menschlichen Körper eine besondere Bedeutung zu.

Während du den Lebensstrom durch deine Hände zur Thymusdrüse des Kindes lenkst, stell dir diesen Bereich als Filter vor, den alle Dinge der alten Erde auf dem Weg nach oben passieren müssen. Nur Dinge, die wahr, rein und in Harmonie sind, können diesen Filter passieren, um Teil der Neuen Erde zu werden. Das Feuer der Liebe, das im Reinigungsfilter lodert, verbrennt alles, was auf der Neuen Erde fehlt am Platz ist

Alles, was den Organismus deines Kindes passiert, muß auch diesen Reinigungsfilter passieren. Alles, was schmutzig, giftig, zerstörerisch ist – alles, was schlechter ist als das Beste, das durch dein Baby hindurchfließt, wird vom Geist der Reinigung verbrannt werden. Stell dir vor, daß dein Kind rein bleibt — egal, welche Versuchungen, Verformungen oder negativen Einflüsse auch immer es bombardieren mögen. Nichts, das nicht zu seinem Besten ist, wird mit deinem Kind in Berührung gelangen. Stell dir dein Kind vor, wie es durch die allerschlimmsten Probleme, die man sich vorstellen kann, unberührt hindurchwandelt und auf der anderen Seite unversehrt und in strahlender Reinheit wieder herauskommt. Stell dir vor, wie dieses Kind einen leidenschaftlichen Sinn für Reinheit entwickelt, der nichts Unreines an sich heran läßt.

Während du deine Hände gleichbleibend über diese Stelle am Körper deines Kindes hältst, spürst du, wie der Geist der Reinheit Wurzeln schlägt und sich fest im Kind verankert. Wenn du das Gefühl hast, daß dieses Lebensprinzip fest verankert ist, gehe zum nächsten Kontaktpunkt über.

10

Energie für die Langerhans'schen Inseln

Das geistige Prinzip des Segens

Sechste Lichtmeditation

Wenn dein Kind Kanal ist für strahlende Liebe, gehegt und gepflegt im Schoß der Wahrheit, und wenn Leben in absoluter Reinheit blüht – dann wird dieses Kind ein Segen für die ganze Erde sein. Segen ist die Belohnung für alle die, die das Antlitz Gottes schauen. Ein gesegneter Mensch empfängt nicht nur den Segen Gottes, ein gesegneter Mensch ist der Segen Gottes. Ein gesegneter Mensch verbreitet Segen, wo immer er wandelt. Jedes Haar auf dem Haupt eines Gesegneten ist Segen für die Erde. Jeder Atemzug eines Gesegneten überträgt das Licht Gottes auf die Erde, wenn sich sein Atem mit der Luft auf unserem Planeten mischt. Der Gesegnete kann gar nicht anders: Er muß andere segnen. Er ist so damit beschäftigt, Segen zu verbreiten, daß er diesen Segen gar nicht erst suchen muß, in seiner Gegenwart ist Segen einfach da. Nicht nur die Gefährten eines Gesegneten sind gesegnet, selbst Gott wird gesegnet. Die Anwesenheit eines Gesegneten gereicht Gott zur Ehre.

Auf der guten alten Erde geschieht es sehr selten, daß die unweigerliche Folge menschlichen Handelns Segen ist. Sieh dir doch die Zustände in der alten Welt an, wie die Menschen sie geschaffen haben. Es gibt nur wenige, bei denen sich die Betei-

ligten gesegnet fühlen. Auf der neuen Erde jedoch wird Segen ein unvermeidbares Nebenprodukt jeder einzelnen Handlung eines Menschen sein. In einem von Liebe erfüllten Leben im Licht der Wahrheit, prall von Leben, können Männer und Frauen des Himmels gar nicht anders, als sich gegenseitig zu segnen.

Der Geist des Segens hat sein physisches Gegenstück in den Langerhans'schen Inseln. Hier sammeln sich endokrine Zellen und verteilen sich in der Bauchspeicheldrüse. Die Bauchspeicheldrüse liegt unter dem Rippenbogen links.

Laß die Energie aus deinen Händen zur Bauchspeicheldrüse deines Kindes fluten, zu den Langerhans'schen Inseln. Du spürst, wie sich der Geist des Segens mit jedem Ausatmen überträgt. Laß diesen Strom mit jedem Ausatmen stärker und immer stärker werden. Fülle deinen Geist mit dem Segen, den dieses Kind an alle verbreiten wird, die es berührt oder an die es denkt. Stell dir vor, wie dieses Kind durch seine Fürsorge und seinen Respekt für das Geistige die Erde und die Welt der Natur segnet. Male dir die Freude Gottes aus, die er an dem Leben eines Geschöpfes hat, das danach strebt, für ihn zum Segen zu werden. Halte diesen Strom des Segens fest und laß ihn mit jedem Ausatmen stärker werden. Fühle, wie der Strom des Segens in dem Kind stark und stetig wird. Halte dieses Gefühl einige Minuten lang ganz ruhig und fest. Spüre, wie du selbst gesegnet wirst durch den Segen, den dieses Kind verkörpert.

Wenn du das Gefühl hast, daß das Bild des Segens im Kind stabil und fest verankert ist, gehe weiter zum nächsten Kontaktpunkt.

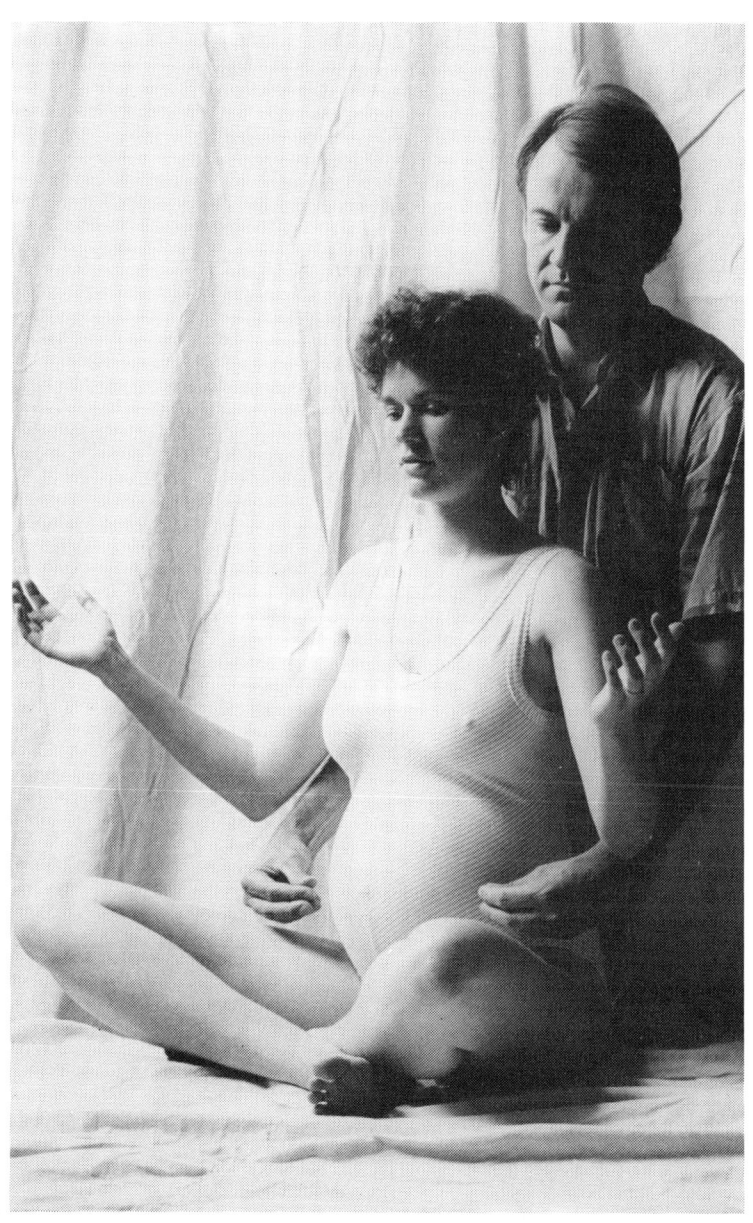

Energie für die Langerhans'schen Inseln

11

Energie für die Nebennieren

Das geistige Prinzip der Sinnerfüllung:

Siebte Lichtmeditation

Werde dir erneut deiner Atmung bewußt. Jedesmal bei Ausatmen spürst du die Stetigkeit deines eigenen Lebenkreises. Spüre den ruhigen Punkt in dir, der mit dem Geist der Liebe verbunden ist. Wenn du spürst, daß deine Mitte so beständig ist wie die Flamme einer Kerze in einem ruhigen Raum, dann bewege deine Hände bis zu dem Punkt am Körper des Kindes, wo die Nebennieren sitzen. Mit deinen geistigen Augen wirst du diese Stelle ganz genau finden. Das Hormon, das von den Nebennieren ausgeschieden wird, bringt den ganzen Köprer in erhöhte Handlungsbereitschaft. Das spirituelle Gegenstück zum Physischen ist das geistige Prinzip der Entschlossenheit. Ein Kind, das dieses geistige Prinzip in sich trägt, geht sicher auf sein Ziel zu. Es läßt sich weder durch emotionale Wallungen, vom Intellekt diktierte Zweifel, körperliche Bedürfnisse, Begierden noch durch sonstige Umstände vom Weg abbringen.

Der Mensch mit festen Grundsätzen hat sich unter Kontrolle. Er läßt sich nicht von den Umständen hin und herstoßen und wird niemals von den Umständen überrannt. Er handelt in Übereinstimmung mit dem Grundsatz der Kreativität, egal wie die Umstände sind. Keine äußeren Faktoren können den Geist der Wahrheit stören, in dem sich die Aktivitäten des Motivierten vollziehen. Die Augen dieses Aktiven richten sich immer voll und ganz auf das, was sie gerade anschauen. Er ist immer voll da und hat die Kontrolle über sein Inkarnationsvehikel.

Sein Ziel ist einfach und immer dasselbe: Gott zu ehren und dem Leben in seiner Gesamtheit zu dienen. Für diesen Zielstrebigen gibt es nichts anderes als zu lieben und zu dienen. Der Charakter eines solchen Sendungsbewußten wird bestimmt durch seine höhere Bestimmung. Nie gibt er menschlichen Begierden und Ablenkungen nach. Er registriert die Botschaften, die Körper, Herz und Verstand aussenden, läßt aber nie zu, daß diese Botschaften sein Verhalten bestimmen.

Was sein Verhalten diktiert, ist der kreative Pulsschlag des Augenblicks, so, wie ihn der Kosmos schickt. Mit den Augen fest auf dieses Ziel gerichtet, kann der Unbeirrbare die Realität des Kosmos zur irdischen Verwirklichung bringen. Nie wird er versuchen, den Menschen zu gefallen. Sein einziges Ziel ist es, Gott zu gefallen.

Allein Wankelmütigkeit und Ablenkung stören den Blick eines Menschen und machen Platz für Ängste. Aber nie werden Täuschung und Lügen den Geist eines Menschen beherrschen, dessen Blick sich auf den Geist konzentriert. Der Blick eines Menschen, dessen Geist sich zielbewußt auf das Spirituelle richtet, ist strahlend. Alles, was er berührt, wird zum Segen. Wer die Vollkommenheit der göttlichen Absichten erkannt hat, für den wird die Armseligkeit der menschlichen Begierden deutlich, und er läßt sie hinter sich. Nimm deinen Atem als Führung und laß den Geist des göttlichen Gedankens sich in der Strahlung deiner Hände verstärken. Spüre, wie sich dieser Geist im Kind fixiert. Heiße den Geist der Entschlossenheit im Spirituellen Schoß des Babys willkommen.

Während du deine Hände mit einer Geste offenen Willkommens für diesen Geist über den Nebennieren hältst, stell dir vor, wie das Kind geradlinig durch das Leben gehen wird. Welche Wahl das Kind auch immer trifft, welche Pfade der Erfahrungen das Kind auch immer beschreiten wird, sieh, wie es immer den Weg wählt, der zum höchsten Ausdruck des göttlichen Prinzips auf Erden führt. Sieh, wie es auf den Nebel von Zweifeln, Enttäuschungen und Verzweiflung trifft und durch ihn hin-

durchwandert, erfüllt von der Stärke seines Sendungsbewußt-
seins, die all denen zu eigen ist, deren Herz im göttlichen Wissen
ruht.

Danke für die Mission dieses Kindes. Danke für das Ziel, mit
dem dieser Körper jetzt wächst. Wisse, es wird dem Kind zu
geistigem Wachsen verhelfen, dem wachsenden mentalen Verstehen seiner eigenen spirituellen Natur. Möge die Mission
dieses Kindes die Erde mit seinem strahlenden Glanz einhüllen.
Wenn du spürst, daß die Energie in diesem Geist verankert ist,
gehe weiter zum nächsten Kontaktpunkt.

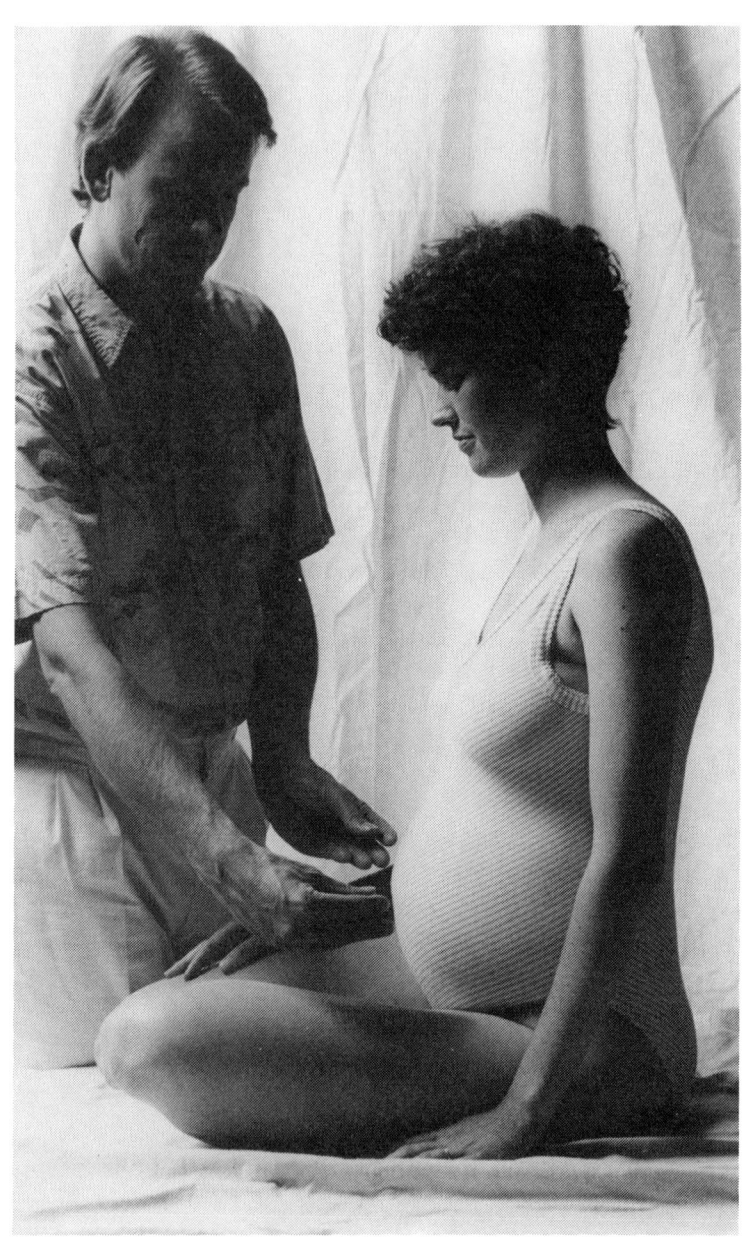

Energie für die Nebennieren

12

Energie für die Keimdrüsen

Das geistige Prinzip der Erde

Achte Lichtmeditation

Die am weitesten unten gelegenen endokrinen Drüsen sind die Keimdrüsen. Sie sind paarweise angeordnet: beim Mann als Hoden; bei der Frau als Eierstöcke. Das geistige Prinzip, das diesen endokrinen Drüsen zugeordnet wird, ist der Geist der Neuen Erde.

***

Geh mit den Händen in einer sanften, fließenden Bewegung zum nächsten Kontaktpunkt. Vergiß nicht, deine Hände berühren die Schwingungssphäre eines anderen Wesens. Du spürst, wenn deine Hände den physischen Punkt der Keimdrüsen im Körper des Babys gefunden haben. Stell dir vor, wie sich ein Strom strahlender Liebe von deinen Händen in diesen Punkt ergießt und den Geist der Neuen Erde weckt. Stell dir mit jedem Ausatmen vor, wie der Energiefluß in diesem Bereich stark und stabil wird. Heiße den Geist der Neuen Erde in Herz und Verstand willkommen. Der Himmel ist der Aspekt der menschlichen Funktion, durch die die Schöpfung geschieht. In den letzten Jahrtausenden hat der Intellekt, vom Herz beherrscht, die menschlichen Kontrollformen bestimmt. Aber Herz und Ver-

stand sind Lichtjahre von der Schöpfung entfernt, und somit ist
die Entwicklung genau entgegengesetzt zu den Lebensbedürf-
nissen auf der Erde erfolgt. Der Mensch, im Tanz des Lebens mit
der Schöpfung aus dem Takt geraten, hat seine eigenen Schöpfungen kreiert, die oft gegen die Natur gehandelt haben. Das
Ergebnis ist unsere heutige Erde, wie sie der Mensch aus seinem
selbstgemachten Himmel geschaffenen hat - nach seinem Bilde.
Ein einziges Chaos!

Der Versuch jedoch, die Erde bei unverändertem Bewußt-
seinsstand zu erneuern, ist sinnlos. Nicht die Welt draußen muß
verändert werden, sondern das Bewußtsein des Menschen.
Dann resultiert aus dem richtigen Geist die richtige Schöpfung.
Alle menschlichen Anstrengungen, die Erde zu verbessern, ohne
an den alten Denkformen – dem alten Himmel – etwas zu
verändern, müssen scheitern.

Wenn wir zulassen, daß sich der Neue Himmel manifestiert,
wird die Neue Erde schnell folgen. Erst wenn die menschliche
Motivation aus dem Sein entsteht, wird auch die Aufgabe des
Seins auf der Erde erfüllt und die Erde erneuert. Alle Aktionen
dienen einzig und allein dem Lebens als Ganzem und nicht mehr
den egoistischen Handlungen des einzelnen.

Die Neue Erde kommt automatisch, wenn alle anderen Faktoren der spirituellen Kontrolle gegeben sind. Dann brauchen wir
nicht mehr mühevoll dafür zu sorgen, daß die äußeren Faktoren
des Kindes, die irdischen, in Harmonie sind. Sie sind automatisch im Gleichklang, wenn sie vom Himmel geschaffen wurden
und nach dem Plan des Himmels Form annehmen dürfen. Dann
ist die Neue Erde das spirituelle Abbild des Ruhms des Neuen
Himmels.

Die Neue Erde ist wie eine Verherrlichung der Eigenschaften
des Neuen Himmels. Unsere Kinder werden zu Botschaftern
und Priestern der göttlichen Schönheit auf Erden. Sie sind eine
Quelle strahlenden Lichts einfach nur dadurch, daß sie da sind,
und alles, was sie tun, wird in Schönheit erstrahlen. Sie lassen
sich nicht länger von den alten Gewohnheiten von Herz und
Verstand beherrschen, so wie es noch die letzten Generationen
taten. Sie lassen sich nicht länger an die Ketten legen, die unsere

Generation in Banden gehalten haben. Und sie legen all die Zwänge ab, die unsere Generation daran gehindert haben, das zu sein, was wir hätten sein können.

Für sie wird es keine Grenzen geben. Sie sind zwecklos, denn die Gegenwart des Geistes wird alles und alle verbinden. Jedes Ding findet den ihm angemessenen Platz in der Schöpfung. Die Kinder der Neuen Erde werden sich an ihrer eigenen inneren Stimme orientieren, den Botschaften, die der Große Geist ihnen schickt – und nicht auf Gleichaltrige, Eltern, Gewohnheiten, Neigungen oder die Medien hören. Wenn sie sich an diese Botschaften halten, werden sie die Erde mühelos erneuern. Die Erde wird einzig und allein durch die Gegenwart dieser Kinder neu geschaffen. Der Neue Himmel, der in den Herzen der Kinder lebt, schafft die Neue Erde.

Danke für die Gunst, mit diesem neuen Kind, dem Träger der Neuen Erde, verbunden zu sein. Mit jedem Atemzug heiße den Geist der Neuen Erde in diesem Kind willkommen. Spüre, wie der Geist der Neuen Erde sich im Schwingungsbereich des Kindes fest verankert. Wenn du das Gefühl hast, daß dieser Energiefluß gleichbleibend und stark ist, bewege deine Hände sanft zum nächsten Kontaktpunkt.

13

Energie für bestimmte Bereiche

Energie ist auch für andere Stellen im Körper gut, die keine endokrinen Drüsen sind. Sobald wir einen gleichbleibenden Energiefluß durch die endokrinen Drüsen geschaffen haben, wollen wir uns diesen anderen Bereichen zuwenden.

Heiße Stellen

Auch hier können wir unsere Sensitivität einsetzen, um die Bereiche im Körper des Babys aufzuspüren, die einer besonderen Aufmerksamkeit bedürfen. Dieser Prozeß entspricht in etwa dem Gefühl, das ein Erwachsener mit einem schlimmen Rücken oder einer schlechten Leber hat. Wir ,sehen' diese Faktoren mit unserem geistigen Auge. Vielleicht spüren unsere Hände eine gewisse Turbulenz oder eine Störung des Energieflusses. Vielleicht fühlen sich diese Stellen ,heiß' oder ,eiskalt' an, wenn wir mit unseren Händen darübergehen. Wenn wir das Drüsenprogramm abgeschlossen haben, beschäftigen wir uns mit diesen Bereichen und geben ihnen Energie.

Unbegrenzte Verbindungsmöglichkeiten

Energie kann auch an andere Menschen weitergeben werden. Das funktioniert störungsfrei über jede Entfernung. Diese Meditationen sind auch für Eltern eines Kleinkindes geignet, das zeitweilig nicht zu Hause ist. Sie sind eine ausgezeichnete Möglichkeit, die Verbindung zu einem lieben Menschen während seiner Abwesenheit zu halten. Entfernung spielt keine Rolle – weder zeitlich noch räumlich.

Energie kann einem Baby aber auch noch anders zugeleitet werden: Indem man den Körper der Mutter als Kanal nutzt. In diesem Fall erfolgt die Harmonisierung gleichzeitig für Mutter und Kind. Dasselbe gilt auch für den Vater.

Ehepaare, die diese Art Harmonie miteinander regelmäßig teilen, werde dies vielleicht als die wichtigste Zeit in ihrer Beziehung ansehen, in der ihre Gefühle und Empfindungen zu tief gehen, um in Worten ausgedrückt werden zu können. Der Geist kann sich wortlos mitteilen. Sogar die Worte „Ich liebe dich" enthalten ein „ich" und ein „du" – und bedeuten schon wieder eine Abgrenzung vom anderen.

Im Strom der Energie gibt es diese Abgrenzung nicht, hier geht es ohne Worte. In diesem Stadium müssen wir uns die Einheit aller Dinge, die sich dahinter verbirgt, bewußt machen. Daß Getrenntsein eine Illusion ist, beweist der Geist, der sich, um seine lebensbejahende Tätigkeit zu entfalten, frei zwischen physischen Formen – Herz und Verstand – bewegt. Für den Geist gibt es keine Grenzen.

Strahlungsenergie kann auch in Gegenwart von gestreßten Menschen sinnvoll eingesetzt werden, du kannst wortlos auf die Situation einwirken. Diese Art der Energie hat einen beschwichtigenden Einfluß auf das erregte Herz und Gemüt.

Dies gilt auch für dich, wenn du gereizt bist. Sobald du in spirituellen Stress gerätst, verlierst du die Fähigkeit, für einen anderen kreativ zu sein! Schicke Strahlungsenergie ins eigene Herz und Gemüt – und du wirst dich an deine geistige Herkunft erinnern. Sie bringt uns zum tiefsten Kern der Natur!

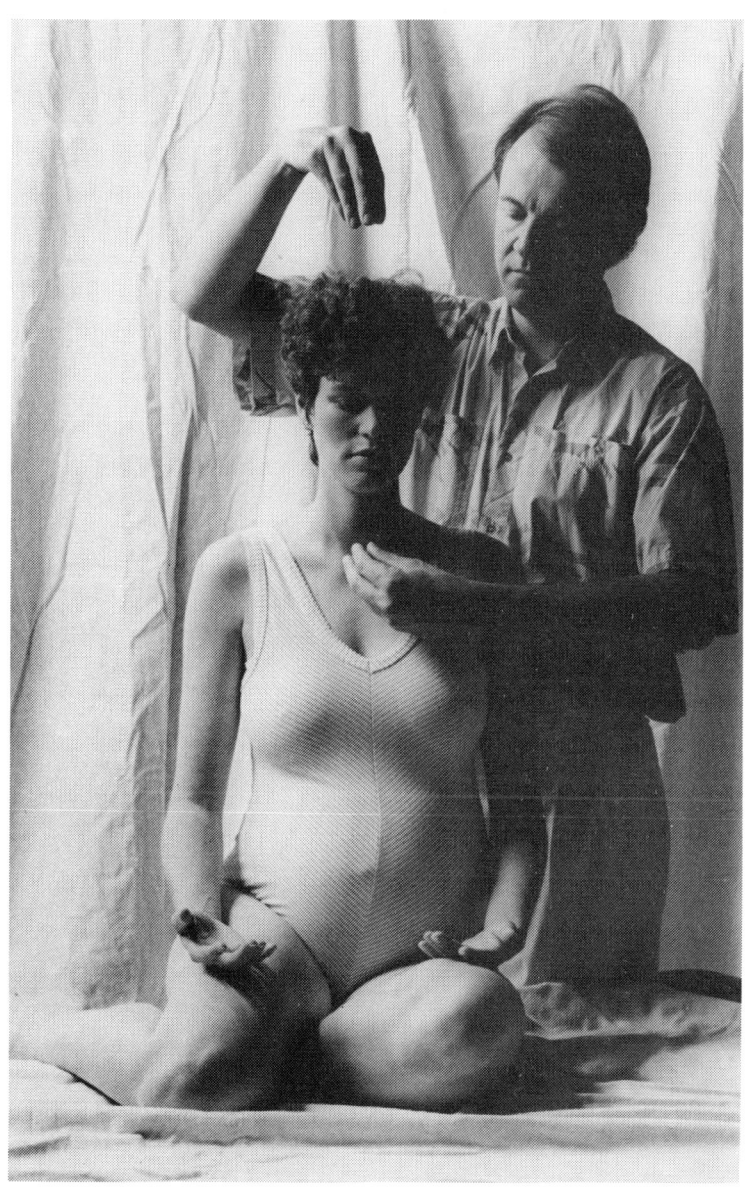

Nutzung der Kontaktpunkte der Mutter. Energie für die Thymusdrüse über den Kontaktpunkt der Zirbeldrüse

Die neunte Meditation ist unseren Verbindungen gewidmet. Wir alle sind auf der geistigen Ebene mit vielen anderen Menschen verbunden. Durch unsichtbare Leitungen kommunizieren wir ständig unbewußt miteinander. Es ist ähnlich wie in einer Telefonzentrale – mit Leitungen, die in alle Richtungen gehen. Das, was in der Schaltzentrale des ‚Fräuleins vom Amt' geschieht, läuft gleichzeitig über sämtliche Telefonleitungen zu allen anderen Menschen, die unserem Netzwerk angeschlossen sind.

Fangen wir von Menschen, mit denen wir verbunden sind, unbewußt solche Botschaften auf, werden wir depressiv, fröhlich, ängstlich, gestreßt oder wie auch immer – ohne uns diese Stimmungen erklären zu können. Wir nehmen ihre Schwingungen auf. Sind wir richtig gepolt, dann schicken wir auf der Leitung einfach Liebe zurück.

Als freie Wesen treffen wir die Entscheidung, nicht den Streß zurückzugeben. Die neunte Meditation handelt von dieser besonderen Fähigkeit der menschlichen Lebewesen, sich in einem strahlenden spirituellen Netzwerk miteinander zu verbinden.

****

Neunte Lichtmeditation:

Der Geist der Welt; die Stirnlappen.

Gehe mit deinen Händen vorsichtig und ehrfurchtsvoll durch den Schwingsungsbereich des Kindes zu einem Punkt am oberen Stirnbereich des Kopfes, zu den Schläfen. Dahinter liegen die Stirnlappen des Gehirns, wo sich der größte Teil unserer Individualität und Persönlichkeit verbirgt. Öffne deine Hände erneut (Handstellung B), als ob du die Stirn eines Menschen mit deinen Händen wiegen würdest. Öffne dein Herz und laß Dankbarkeit für die Einmaligkeit dieses kostbaren werdenden Kindes einziehen. Stelle dir seine Einmaligkeit als Ausdruck der größt-möglichen Energiequelle vor. Stelle dir vor, wie der Geist Leben in die individuelle Natur dieses Kindes haucht und es so nährt, daß es alle Möglichkeiten seines Seins ausschöpfen kann.

Danke für die Menschen, mit denen dieses Kind bereits in Berührung gekommen ist – einfach dadurch, daß es da ist. Danke für jeden Kontakt, den es während seines Lebens mit anderen Menschen haben wird. Danke für den Segen, den dieses Kind durch alles, was es denkt, sagt und tut, für andere bringt. Hüte die Kostbarkeit dieses Kindes wie einen Schatz. Spüre die Substanz seiner Welt, die von seiner Stirn in deine Finger und Hände ausstrahlt. Spüre die Intensität des darin liegenden schöpferischen Vorgangs.

Laß zu, daß sich der Druck einer Verbindung zwischen euch aufbaut. Während du diese Sphäre des Geistes in deinen Händen wiegst, stelle dir vor, wie Strahlenfäden des Geistes hinausgehen, um alle die Menschen zu berühren, die dieses Kind in seinem Leben treffen wird. Spüre, wie diese Verbindungskanäle mit anderen zu Kanälen werden, durch die dieses Kind seinen Segen schickt. Alle die, die diesen Strang berühren, werden von ihm berührt, ob sie sich dessen bewußt sind oder ob sich das Kind dessen bewußt ist. Durch unsere Verbindung zu anderen schikken wir den Geist aus unserem Herzen weit über unsere engere Umgebung hinaus und berühren Hunderte anderer Menschen.

Spüre, wie deine Hände die gesamte Welt des Kindes berühren und segnen. Spüre, wie deine Hände das ganze Leben des Kindes berühren und segnen. Spüre, wie der Energiestrom deiner Hände jeden einzelnen Menschen trifft, an den dieses Kind jemals denkt, mit dem es spricht, mit dem es zusammen ist oder den es auch nur anschauen wird. Wenn der Geist der Liebe durch dich hindurch alle diese Menschen erreicht hat, bewege deine Hände langsam zum nächsten Kontaktpunkt.

****

Zehnte Lichtmeditation

Bereiche, die besondere Aufmerksamkeit verdienen

Gehe ganz langsam mit den Händen am Körper des Kindes hinunter. Spürst du, wie die verschiedenen Bereiche des Körpers verschiedene Schwingungen aussenden? Vielleicht spürst du auch Bereiche, in denen eine starke Schwingungsaktivität herrscht und andere, die ruhiger sind. Schau mit deinen geistigen Augen und erspüre die Schwingungen mit der Sensivität deiner Hand – und du wirst sehen, ob es andere Bereiche im Körper des Kindes gibt, die Energie benötigen.

Vielleicht spürst du, daß ein bestimmtes Organ Beachtung braucht, oder du findest eine besondere mentale oder emotionale Eigenschaft, die unter die Führung des Geistes gebracht werden muß, oder aber du fühlst, daß alles ordnungsgemäß arbeitet. Wie auch immer, setze deine spirituelle Sensitivität ein, um die Schwingungsmuster zu überprüfen und Energie dorthin zu schicken, wo sie nötig ist.

Wenn du das Gefühl hast, daß irgendwo eine Störung oder Unruhe ist oder bei einem Organ oder System eine besondere Intensität herrscht, halte deine Hände über diese Stelle und laß einen gleichbleibenden Strom Energie fließen, bis du spürst, daß sich das Schwingungsmuster stabilisiert hat oder bis du glaubst, alles getan zu haben, was hier zu tun ist. Dies mag wenige Minuten dauern oder eine halbe Stunde. Deine innere Stimme wird dir sagen, wie lange du verweilen mußt. Versuche nicht, irgendetwas zu erzwingen, sondern schwinge zusammen mit dem Kind in einer Welle von Liebe.

Wenn du das Gefühl hast, daß alle Bereiche ruhig sind, dann sende deine Energie durch die physische Form und danke für ihre Vollkommenheit. Laß das Baby mit jedem Ausatmen deine Liebe und Zuneigung spüren. Während du mit deinen Händen über den Körper des Kindes streichst, wirst du ganz deutlich die Silberschnur bemerken, die dich mit dem Kosmos verbindet und dir erlaubt, durch diese Schnur die Schöpfungsenergie hin-

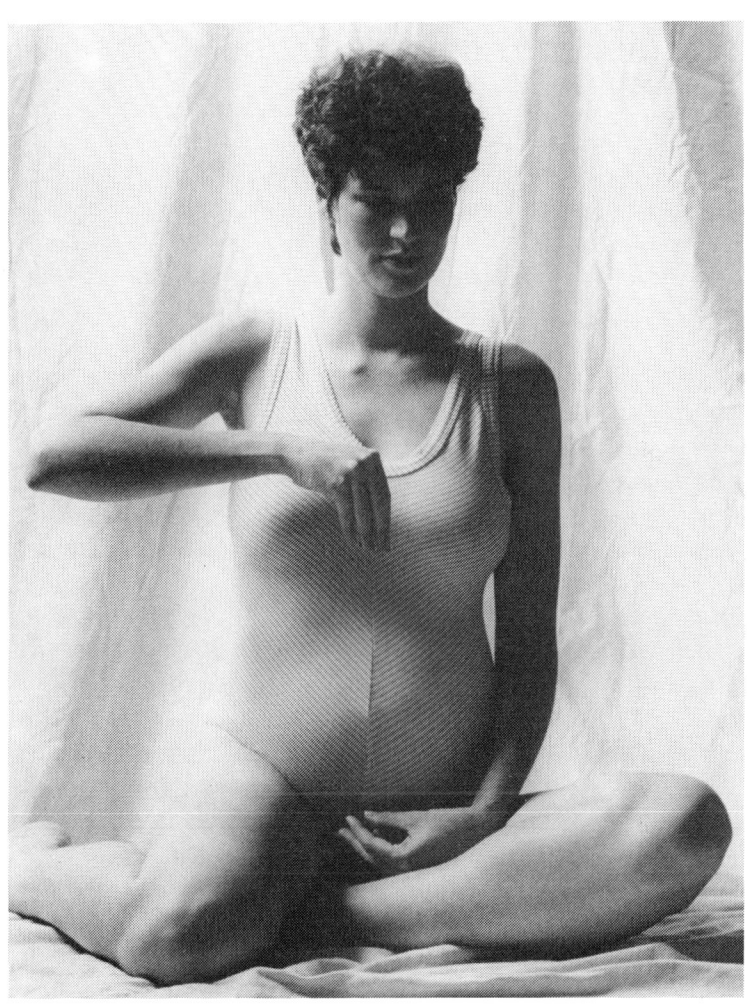

durchzulassen, um das Kind darin zu baden und einzuhüllen. *Physisch schwimmt es im Fruchtwasser – laß seine geistige Hülle in Liebe schwimmen. Das Wesen der Liebe wäscht alle Furcht weg und läßt die Schöpfungsvorgänge in all ihrer makellosen Vollkommenheit ablaufen.*

****

Ëlfte Lichtmeditation: Herz und Verstand

Stell dir das Herz – den emotionalen Bereich des Babys – vor. Schau dir dieses Herz an – ganz ruhig und ungestört. Denke dir, wie dieses Kind sein ganzes Leben lang glücklich über dieses Geschenk ist, ein ruhiges Herz zu haben. Möge die Ruhe seines Herzens Öl auf die Wogen menschlicher Gefühls- ausbrüche gießen; möge es die Fähigkeit erlangen, aufgewühlte Empfindungen seiner Mitmenschen im stillen Wasserspiegel seines friedlichen Herzens zu betrachten.

Möge sein Herz überfließen vor Freude, Freigebigkeit und Wahrhaftigkeit. Möge die Gabe seines Herzens das Leben all derer, denen es begegnet, reich machen. Die Liebe Gottes strömt vom Himmel, um dieses Herz in Liebe zu baden. Möge es überfließen vor Liebe für andere. Möge die Liebe Gottes dieses Herz ausfüllen, sodaß kein Platz ist für Furcht, Ärger, Zweifel, Eifersucht oder Groll. Mögen alle negativen Gefühle durch die sprudelnde Quelle der Liebe dieses Herzens weggespült werden.

Stell dir die Liebe deines Kindes als starken Strom vor, der sich in unendlichem Segen ergießt. Wenn du diesen Strom konstant und sicher empfindest, gehe zum Verstand über. Laß ein Bild des Friedens und der Ruhe deinen eigenen Verstand beherrschen. Stell dir vor, wie dein Kind stets die Gabe des klaren Denkens hat, nie gestört durch Druck aus dem Unterbewußtsein, emotio- nale Ausbrüche oder gedankenlose Gewohnheiten.

Laß den Verstand des Kindes nur im Licht wohnen. Wenn er im Licht wohnt, wird er zum Träger des Lichts; dem Träger des göttlichen Lichts in die menschlichen Dinge hinein. Möge die Klarheit seiner Erkenntnis dieses Kind durch alle Enttäuschun- gen und Irrtümer der alten Welt tragen. Möge seine Weisheit den Neuen Himmel und die Neue Erde erleuchten.

Wenn du durch deine Hände spürst, daß das Prinzip der Klarheit des Geistes und der Ruhe des Herzens fest und stabil im Kind verankert sind, dann gehe mit deinen Händen zum letzten Kontaktpunkt über.

****

Zwölfte Lichtmedition

Der Geist der göttlichen Verbindung

Gehe mit deinen Händen sanft zu dem Punkt zurück, wo du mit der Energieübertragung begonnen hast: am Schädel, beim Atlas-Axis- Wirbel. Halte deine Hände in Handstellung A, so daß sie den Strom deiner Schwingungssenergie bündeln. Dieser Punkt stellt die Verbindung zwischen dem Neuen Himmel und der Neuen Erde dar. Durch diese Stelle strömen die Eigenschaften des Himmels bis in die Erde. Durch diesen Punkt strömt alles Geistige vom Ausgangspunkt bis zur Offenbarung. Stell dir diesen Kanal ganz deutlich vor - ohne irgendwelche Hindernisse und breit genug, damit die Fülle des Geistes sich in die Form dieses Kindes ergießen kann.

Halte diese Vision einige Augenblicke fest, bis dieser Kanal schnell und wirksam arbeitet. Wenn du das Gefühl hast, es ist so, werde dir deiner Atmung bewußt. Mit jedem Ausatmen spürst du den Geist, wie er sich in die Form ergießt. Nimm mit dem Einatmen all die Kraft der göttlichen Liebe auf, die vom Himmel durch die Verbindungsstelle am Scheitelpunkt deines Kopfes strömt.

Halte einige Augenblicke still, und laß die Energie dorthin strömen, wohin sie muß. Nimm den strahlenden Regen der Energie in jede Zelle deines Seins auf. Spüre, wie er dich erfrischt und jede Zelle neu belebt. Danke für die Kraft und Stärke dieser göttlichen Verbindung. Danke, daß du auserwählt worden bist, diese göttliche Verbindung bewußt erleben zu dürfen.

Frage dein Herz, ob es noch irgendetwas gibt, das der Geist erfahren muß. Wisse, daß du in diesem Zustand bleiben kannst – in diesem Zustand der Gnade und des Glücks – den ganzen Tag lang, einfach, indem du immer wieder daran denkst. Spüre, wie dein Körper ein- und ausatmet, ein und aus, ein und aus.

Wenn du wieder ganz im Hier und Jetzt bist, öffne die Augen.

****

Einstimmung auf die universelle Lebensordnung

Eltern sollten sich mindestens einmal am Tag mit ihrem Kind in geistigen Kontakt bringen, schon um zu sicherzugehen, daß sich alle Schwingungsmuster sanft weiter entwickeln. Nach einiger Übung geschieht dies fast instinktiv. Diese Zeit des Tages wird für die Seele des Kindes eine geheiligte Zeit der Verbindung und Bestätigung sein. Die Zwiesprache wird zu einer Gewohnheit, die man genausowenig vernachlässigt, wie das Kind zu füttern oder zu waschen. Wenn man erst einmal erkannt hat, wie wichtig die spirituellen Faktoren sind, dann wird diese Erkenntnis wichtiger sein als alle äußeren Umstände.

Mit zunehmender Erfahrung werden sich unsere Augen für die spirituelle Natur der Dinge schärfen und unsere Ohren werden aufmerksam. Wir suchen nicht mehr auf der materiellen Ebene nach den Ursachen, sondern wir suchen sie – Gefühle, Geschehnisse, Krankheiten – auf der unsichtbaren Ebene, wo sie entstehen. Immer beginnt der schöpferische Prozeß auf der unsichtbaren Ebene und wandert von dort aus zur sichtbaren. Nach einiger Zeit werden wir nicht mehr von den sichtbaren abgelenkt, sondern tun unsere wichtigste Arbeit im Geist des Spirituellen.

Die Fähigkeit, in jeder Situation die unsichtbaren Faktoren zu erspüren, wird nicht nur zur zweiten Natur, sondern zur ersten. Unsere Versuche, die materielle Welt zu manipulieren, um Zufriedenheit zu erlangen, gehören bald der Vergangenheit an, wenn wir erkennen, daß das Geistige bereits die Welt unter Kontrolle hat; das Leben selbst trägt ein vorgegebenes Muster in sich. Wenn wir unser äußeres Selbst – unser Inkarnationsvehikel für Körper, Herz und Verstand – dem Leben angleichen, dann fließt diese angeborene Ordnung durch all unsere Handlungen hindurch. Manipulationen sind nicht mehr notwendig – nur Vertrauen, Vertrauen darauf, daß das Leben aus sich selbst wirkt. Und das sollte das erste sein, was uns Elternschaft lehrt: das Leben erfüllt sich.

14

Die spirituelle Verantwortung von Vater und Mutter

Jeder noch so unbedeutende Vorgang hat eine mythische Bedeutung. Wenn wir als Individuum Handlungen wiederholen, die Millionen andere Individuen zu allen Zeiten getan haben, so sind wir Teil des Urbildes dieses besonderen Vorgangs. Die alten Griechen haben in ihrer Dichtung Urbilder so stark mit Leben erfüllt, daß sie heute noch für uns lebendig sind: Gorgo*, Ödipus, Aphrodite und viele andere.

Die Mutter als Urbild

Elternschaft ist ein mythisches Ereignis. Eine Frau ist nicht nur die einzelne Mutter eines einzelnen Kindes. Durch die Empfängnis eines Kindes – also die Tatsache, daß sie Frau ist – gehört auch sie zum Mythos der ‚Großen Mutter'. Die Eigenschaften der Großen Mutter sind bekannt: unermüdliche Fürsorge, unendliche Zärtlichkeit, verbissene Verteidigung des Jungen, Vermehrung der Wohltaten auf der Erde, Erhaltung der Art etc. Eine Frau ist an diesen jahrtausende-alten Anforderungen beteiligt, einfach dadurch, daß sie auf der Welt ist.

Die Anlagen dieser Mythen werden von Generation zu Generation weitergegeben – von der Mutter auf das Kind. Wenn sie in der Mutter schwach ausgeprägt sind, werden sie auch im Kind schwach ausgeprägt sein. Lebt die Mutter ihrem Kind die Eigenschaften der Großen Mutter als leuchtendes Vorbild vor, dann wird sich auch im Kind ein starkes Bild von dem, was dies bedeutet, einprägen. Sind diese Werte erst einmal im Bewußtsein des Kindes verankert, dann kommen sie darin zu Ausdruck, wie das Kind die Welt sieht und in allem, was es tut.

Teil des weiblichen Urbilds ist das Wesen der Fürsorge. Das große Vorbild der Sorgenden Mutter überträgt sich ganz von alleine vom Bewußtsein des Kindes auf seine Beziehungen zu anderen Menschen und allen Lebewesen. Ein Kind, bei dem die Werte der Großen Mutter stark ausgeprägt sind, wird sich wie die Erd-Mutter mit unserem Planeten verbunden fühlen. Ein solcher Mensch käme nie auf den Gedanken, unseren Planeten aus Egoismos auszubeuten. Die geistigen Vorbedingungen für ein solches Denken sind bei ihm einfach nicht vorhanden. Die Umwelt aus eigennützigen Motiven zu zerstören, kommt für dieses Kind nicht in Betracht.

So, wie wir selbst programmiert sind, so programmieren wir auch unsere Kinder. Solange wir nicht geheilt sind, können wir unseren Kindern keine Heilung bringen. Umgekehrt gilt dasselbe: Wir müssen uns erst selbst heilen lassen, ehe wir unsere Kinder heil machen können. Die Taten eines heilen Menschen breiten sich in konzentrischen Kreisen aus und führen schließlich zu Heilung für den ganzen Planeten.

Ein heiles Kind, das in seinem Unterbewußtsein das lebendige Bild der Eigenschaften der Großen Mutter trägt, wird allen Frauen den Respekt zollen, der der Großen Mutter gebührt. Ein solches Kind sieht in allen Frauen die Große Mutter – und wird sie entsprechend ehren.

Erdenmutter – Himmelsmutter

Für ihre Kinder ist die irdische Mutter eine lebende Verkörperung der Großen Mutter. Sie ist die manifest gewordene Göttin. Sie ist der leibhaftige Ausdruck des

Inbegriffs der Frau. Sie ist ein lebendes Monument, eine wandelnde Ikone der Göttlichkeit in weiblicher Ausgabe. Wenn sich dies in allem, was sie tut, getreu widerspiegelt, wird sich das Kind in allen zwischenmenschlichen Beziehungen zurechtfinden, wo es auf dieses Urbild trifft. Ist dort, wo das Bild der Göttin sein sollte, ein Vakuum – dann wird dieses Vakuum auch in den Beziehungen zu anderen zum Ausdruck kommen.

Die Große Mutter verkörpert den Spirituellen Schoß. Der Schoß, in dem das Leben geboren wird, ist der Schoß der Wahrheit. Eine wahre Mutter sucht sich stets zu vergewissern, daß all ihr Tun dieser Wahrheit des Seins Rechnung trägt. Indem sie in der Welt des Kindes die Wahrheit des Seins verkörpert, setzt sie im Kind das Grundmuster für das ganze Leben.

Dieses Muster gibt dem Kind die Chance, eine Verbindung zur Wahrheit des Seins herzustellen, wann immer es in seinem Leben auf diese trifft. Ist dieses Programm durch die Mutter nicht im Bewußtsein des Kindes verankert, hat das Kind später Probleme, die Wahrheit des Seins wiederzuerkennen. Die echte Mutter, die völlig sie selbst ist, schenkt dem Kind ein Vorbild persönlicher Wahrhaftigkeit, das sich dem Kind für sein ganzes Leben einprägt. Durch die Handlungen der wahren Mutter entstehen im Gehirn des Kindes Schaltungen, die es später die Wahrheit erkennen lassen.

Ein Kind, das im Schoß der Wahrheit reift, wird zu einem Erwachsenen heranwachsen, der die Wahrheit liebt. Wenn das Kind das Vorbild der gelebten Wahrheit kennt, ist es gegen alle Scheinwahrheiten gefeit, die von der Welt draußen oder dem Unterbewußtsein der Massen hereinströmen. Wenn der Schoß der Wahrheit im Leben des Kindes fest verankert ist, dann wird das Kind selbst das Kind des Schoßes der Wahrheit zeugen – das Leben. Ein Kind, im Schoß der Wahrheit genährt, wächst in ein erfülltes Leben hinein.

Wahre Mutterschaft ist nicht etwas, das einfach nur so passiert! Es ist ein Ereignis von mythischer Bedeutung. In der Mutterschaft wird die Frau für das Kind zum leibhaftigen Bild der Göttlichen Mutter, indem sie in das Bewußtsein des Kindes ein Programm für das Erkennen der Wahrheit pflanzt – ein Geschenk für das ganze Leben – einen festen Anker. Ohne dieses Vorbild wird in der Begriffswelt des Kindes, wo das Bild der Göttlichen Mutter sitzen sollte, ein Vakuum sein.

Göttlicher Vater in irdischer Form

Für diese Kinder bedeutet der irdische Vater eine Verkörperung ihres Göttlichen Vaters. Ein Kind kann Geist und Fleisch nicht trennen. Ein Kind lebt in dem Bewußtsein, daß beide eine Einheit bilden: Der Kosmos läßt die Erde aufsteigen, und die Erde steigt zum Kosmos auf; Kosmos und Erde sind eins. Ein Kind überlegt nicht: „Nun, mein irdischer Vater tut diese schrecklichen Dinge, aber mein Göttlicher Vater würde dies nie tun." Das Kind sieht Kosmos und Erde gleich – es gibt keine Trennungslinie zwischen dem irdischen und dem Göttlichen Vater. Für ein Kind ist der irdische Vater die konkrete und leibhaftige Verkörperung des Göttlichen Vaters. Die spirituelle Verantwortung des irdischen Vaters ist es, dem Kind die Eigenschaften des Göttlichen Vaters getreulich im Leben vorzuführen.

Der irdische Vater kann dieses Modell des Göttlichen Vaters nicht aus eigenem Vermögen schaffen. Der Versuch würde kläglich scheitern. Er würde in Aufbrausen, Unterdrückung und Thyrannei zurückfallen. Ein irdischer Vater kann den Göttlichen Vater für seine Kinder nur verkörpern, indem er eins wird mit dem Göttlichen Vater. Der irdische Vater läßt sein Ego, seine persönliche Identität bis zu dem Punkt verblassen, von dem an er das Göttliche durch sich hindurchleuchten läßt. Wenn seine irdische

Persönlichkeit unwichtig geworden ist, konzentriert sich all seine Aufmerksamkeit auf den Göttlichen Vater, er wird eins mit ihm. Sein irdisches Leben wird zum Transparent, durch das man den Göttlichen Vater klar erkennen kann. Der irdische Vater, der seine Identität in fröhlicher Vereinigung mit der seines Schöpfers verschmolzen hat, wird zum Fenster, durch das das Licht des Kosmos hereinscheint.

Konzentration auf den Einen

Wie geschieht dies? Durch Liebe. Die größte Liebe des irdischen Vaters gilt dem Göttlichen Vater. Er zeigt ihm seine Liebe, indem er Seine Werke tut – als treuer Diener der Schöpfung des Göttlichen Vaters. Durchdrungen von der Liebe für seinen Göttlichen Vater, verblaßt seine irdische Persönlichkeit. Wenn ihn andere anschauen, sehen sie nur das Antlitz des Göttlichen Vaters in ihm.

Der irdische Vater schaut nicht auf seine Frau oder die Kinder oder einen anderen Menschen; seine größte Liebe gilt nicht denen, die um ihn herum sind. Sein Blick ist immer voller Erwartung auf den Göttlichen Vater in seinem Inneren gerichtet. Dann, und nur dann, wenn sich seine Erwartung zuerst und vor allem auf den Großen Vater richtet, strahlt die Liebe des Großen Vaters aus ihm heraus und wird zum Segen für alle, die sich in seiner Nähe befinden.

Für seine Kinder ist der irdische Vater die leibhaftige Verkörperung des Göttlichen Vaters. Die Kinder reifen in diesem Bewußtsein heran und erkennen die Besonderheiten des Kosmos, wo auch immer sie diese finden, denn von Geburt an sind sie mit dem Kosmos vertraut.

Jungen mit einem solchen Vater wissen, was Männlichkeit bedeutet, denn sie haben als Beispiel einen Mann vor Augen gehabt, der erfüllt war mit Liebe für den Kosmos. Sie haben bei einem Vater gelebt, durch dessen Augen sie

Gott geschaut haben. Sie wissen, was wahre Männlichkeit bedeutet. Sie werden sich nicht von dem gewalttätigen, lieblosen stereotypen Macho-Typen der sogenannten Männlichkeit, auf die sie in der Masse stoßen, aufs falsche Gleis locken. lassen.

Dasselbe gilt für Mädchen. Auch sie wissen, was wahre Männlichkeit sein sollte. Sie spüren sie – oder ihr Fehlen – bei den Männern, die sie kennenlernen, denn sie haben das Bild des Göttlichen Vaters durch ihren irdischen Vater hindurchscheinen sehen. Sehr wahrscheinlich werden sie sich nicht von ‚Männern' täuschen lassen, die sich in Positur setzen, um Eindruck zu schinden; die herumprahlen; außen ein Schönling, sind sie innen hohl und leer. Sie haben gelernt, einen Mann zu durchschauen. Der irdische Vater freut sich über jeden, der ihn ‚durchschaut', denn der sieht das Antlitz des Großen Vaters in ihm. Der Mann, der fest im Göttlichen ruht, hat keine Angst, von den anderen ‚durchschaut' zu werden.

Die wahre Verantwortung der Eltern

Mit einer irdischen Mutter, die den Schoß der Wahrheit verkörpert, und einem irdischen Vater, der den Geist der Liebe verkörpert, kann das ‚Kind des Lebens' geboren werden. Kinder von Eltern, die vom spirituellen Bewußtsein durchdrungen sind, erhalten eine vollkommene spirituelle Erziehung, indem sie das wahre Sein ihrer Eltern als Zeugen miterleben.

Ist dieses wahre Sein erst einmal geschaffen, entwickeln sich alle anderen irdischen Fähigkeiten wie von selbst. Ist das wahre Sein nicht vorhanden oder fehlt das Verständnis dafür, dann bleibt das Kind – mag es auch noch so viele irdische Fähigkeiten erworben haben– in seinem Inneren instabil. Unsere gegenwärtige Gesellschaft lehrt uns, materielle Dinge und Kenntnisse zu erwerben – ein unbefriedigender Versuch, die zentrale Realität des Geistes durch leere Hülsen zu ersetzen.

Die Hauptaufgabe der Eltern ist es nicht, dem Kind eine gute Schulbildung zu ermöglichen, es in einem schönen Haus aufwachsen zu lassen etc. Die Hauptaufgabe verantwortungsbewußter Eltern ist es, das Kind mit dem Spirituellen vertraut zu machen. Kinder merken sehr schnell, ob für Eltern die innere Realität zählt – oder nur äußere Formen – und bauen sich ihre eigene Realität nach diesem Vorbild auf.

Formen allein bringen jedoch keine Sicherheit. Materielle Dinge auch nicht. Was Sicherheit gibt, ist zu wissen, wer man ist, und dieses Wissen bedeutet im tiefsten Sinne: Gott. Hat das Kind erst einmal die Realität des Gott-Seins erfahren und ist fest davon überzeugt, eins zu sein mit einem freundlichen, ihm wohlgesonnenen Universum, dann kann das Kind ein armer Bauer sein oder aber im Rat der Mächtigen sitzen: äußere Umstände spielen dann keine Rolle mehr. Nur eines zählt für ein Kind Gottes: daß es in Gott lebt. Eine andere Realität gibt es nicht – und auch keine andere Seinserfüllung. Eltern, die in Gott leben, verkörpern für ihre Kinder leibhaftig die Realität Gottes.

D a s bedeutet spirituelle Elternschaft.

****

Meditation:

Suche dir einen ruhigen Raum und sorge dafür, daß du nicht gestört wirst. Gedämpftes Licht und ruhige, meditative Musik sind hilfreich. Laß die Kassette „Zwiesprache – Kontakt mit der Seele deines ungeborenen Kindes" lau-

fen oder dir den Text von deinem Partner oder jemand
anderem vorlesen.

*Schließe die Augen. Laß Ruhe in deinen Körper einziehen.
Atme tief ein und aus und spüre, wie die Spannung aus deinem
Körper herausfließt. Werde dir jedes Atemzugs bewußt. Stell dir
die Spannung in deinem Körper als farbige Flüssigkeit vor, die
jede Zelle füllt. Atme weiter und laß diese farbige Flüssigkeit
nach und nach herausströmen.*

*Beginne mit den Füßen. Stell dir mit jedem Ausatmen vor,
wie die Spannung aus deinen Füßen herauszieht, Zug um Zug.
Atme die farbige Spannungsflüssigkeit immer weiter aus, bis die
Füße ganz entspannt sind. Fühle, wie leer und leicht deine Füße
sind. Freue dich über diese Gefühl der Leere.*

*Wenn du auch das letzte Gefühl der Spannung aus deinen
Füßen entfernt hast und sie ganz weich sind, gehe zu den Waden
über. Laß die Flüssigkeit, die deine Waden und Fesseln füllt, mit
jedem Atemzug hinaus, Zug um Zug, bis sie ganz leer und
entspannt sind. Wenn jede Zelle in deinen Waden entspannt ist,
gehe zu den Hüften über.*

*Weiter so mit dem ganzen Körper, Stück für Stück, von unten
nach oben. Laß die farbige Spannungsflüssigkeit aus deinen
Schultern heraus, laß die Schultern hängen. Wenn du die ganze
Flüssigkeit ausgeatmest hast und sie völlig entspannt sind,
mache mit dem Scheitel weiter und atme alle Spannung aus dem
Kopf hinaus. Laß alle Kämpfe des Tages heraus. Laß mit dem
Ausatmen alle Gedanken und Sorgen des Tages ganz sanft aus
dem Körper weichen. Tue soviele Atemzüge, wie du brauchst,
um alle Spannungsenergie aus dem Kopf herauszulassen.*

*Dann gehe zu Mund und Nacken über und laß dort alle
restliche Spannung hinaus. Jetzt ist dein ganzer Körper rein und
entspannt; und nun richte die Aufmerksamkeit nach innen, ob
du noch irgendwo verborgene Nischen mit Spannungsenergie
findest. Spüre die versteckten Stellen auf, wo du noch immer
verhärtet bist, und laß diese letzten Spannungsreste mit jedem
Atemzug ganz sanft aus deinem Körper heraus.*

Jetzt bist du eine leere, entspannte, physische Hülle. Spüre hinter dir die schöne strahlende Erscheinung, die dir schon wohlvertraut ist – dein wahres Ich, der Engel, dein wahres Selbst. Nimm dir einen Augenblick Zeit, um die Schönheit deines spirituellen Selbst zu würdigen. Spüre, wie sich dein Körper in der strahlenden Gegenwart dieses liebenden Geistes entfaltet. Spüre das wundervolle Gefühl der Erfüllung und Vollendung, das dich überkommt, wenn dein inneres Selbst und dein äußeres Selbst miteinander verschmelzen.

Siehe, wie dein Geist-Körper nach oben verbunden ist durch ein strahlendes Band, das aus dem Scheitel deines Kopfes austritt und bis zum Kosmos hinaufreicht. Durch diese Verbindung spürst du, wie die Liebe des Kosmos zu dir herabfließt. Spürst du, wie dankbar du bist, eins zu sein mit diesem wunderbaren Etwas, das dieses Band hinaufsteigt?

Koste dieses Wunder der Einheit aus. Dann rufe dir eine Reihe von Bildern deines Lebens ins Gedächtnis, laß sie Szene für Szene vor deinem geistigen Auge erstehen. Verweile bei den Erinnerungen, die am lebhaftesten sind. Erlebe sie noch einmal – in allen Einzelheiten. Spüre, wie du dich damals in der betreffenden Situation gefühlt hast. Erinnere dich an alle Gefühle in Verbindung mit jeder einzelnen Szene. Gehe weiter zurück, immer weiter, in die Zeit, als du jung warst, ein Kind, ein Säugling. Gehe zurück bis zu den ersten Erinnerungen deiner Kindheit. Erinnere dich an ein Erlebnis, als du ein Kind warst; an die Zeit, als du einen wirklich wundervollen Mann getroffen hast. Denke an den Mann, der dich, als du sehr jung warst, am stärksten beeindruckt hast. Und jetzt erinnere dich daran, welche Scheu dich gegenüber diesen Mann erfüllt hat. Erinnere dich an das Gefühl der Wichtigkeit, das dich ergriff, weil du die Gegenwart dieses Mannes teilen durftest. Laß dieses Gefühl in dir wieder hochkommen. Warte einen Augenblick, damit sich dieses Gefühl vollständig aufbauen kann. Halte es ganz fest und jetzt stell dir vor, wie das Licht der Verbindung vom Kosmos auf den Kopf dieses Mann fällt, das Licht der Verbindung zum Göttlichen Vater. Stell dir vor, wie dieser Mensch dich als Kind geliebt hat, wie er dich behandelt hat, als ob du der wichtigste

Mensch in seinem Leben wärst. Sieh, wie er dich liebt. Stell dir die Liebe Gottes vor, wie sie sich durch die Augen dieses Mannes auf dich ergießt. Wenn das Bild ganz stark ist, so geliebt, geachtet, geschätzt und geehrt zu werden – dann laß das Bild entschwinden; das Gefühl des Geliebtseins und des Getröstet-seins durch diesen wundervollen Mann halte jedoch ganz fest. Und jetzt denke an ein anderes Erlebnis in deiner Kindheit zurück. Denke an die schlimmste Erfahrung mit einem erwach-senen Mann. Denke an den miesesten, grausamsten Mann, vielleicht jemanden, der dich schrecklich mißbraucht hat, oder jemanden, den du nur gesehen hast, aber bei dem du sofort wußtest, daß er schlecht ist. Erinnere dich daran, wie erschrok-ken du warst, wie machtlos du dich in der Gegenwart dieses schrecklichen Mannes gefühlt hast. Erinnere dich, wie klein du damals warst. Erinnere dich an all die schlimmen Dinge, die geschehen sind – an alle Gefühle in Verbindung mit den schreck-lichen Dingen, die du damals erlebt hast. Jetzt stell dir vor, wie der wundervolle Mann von oben herunter kommt zu dem Ort, wo du mit dem schrecklichen Mann bist. Während er zu dir kommt, ist sein ganzer Körper strahlendes Licht. Er schaut dich voller Liebe an. Du spürst seine Liebe. Du spürst all die wun-derbaren Dinge erneut, wie früher, wenn du mit ihm zusammen warst. In seiner Gegenwart fühlst du dich sicher und geborgen. Du läufst auf ihn zu, umarmst ihn und hüllst dich ein in seinen Mantel strahlender Liebe. Du schaust zu dem schrecklichen Mann zurück, aber er ist verschwunden! Während das Licht des guten Mannes alles überstrahlt, ist der schreckliche Mann ver-schwunden wie ein Schatten, der sich auflöst. Du kannst ihn schon fast gar nicht mehr erkennen. Es gibt nichts mehr, vor dem du Angst haben brauchst! Du spürst die Energie des wunderba-ren Mannes um soviel stärker als die des schrecklichen. Nimm die Hand des Großen Vaters und geh dorthin, wo der schreckli-che Mann war. Aber die Stelle ist leer. Er hat sich aufgelöst wie ein dunkler Schatten, wenn ihn das Licht des wahren Vaters trifft. Du schaust deinem Vater in die Augen. Sie sind voller Liebe auf dich gerichtet. Du weißt, er wird immer für dich da sein, wenn du ihn brauchst. Du weißt, er wird dich immer beschützen. Du weißt, er wird die Kräfte der Dunkelheit immer vertreiben.

Jetzt kehre zurück zu den Szenen aus deinem Leben. Suche ein Bild, ein ganz besonderes Bild von deinem irdischen Vater – vielleicht eine Fotografie, eine Erinnerung an ein bestimmtes Ereignis oder einfach nur ein Gefühl, das dich in seiner Gegenwart erfüllte. Mache dir ein vollständiges Bild von all dem, was dein Vater für dich bedeutet.

Jetzt stell dir sein Gesicht vor, ganz aus der Nähe. Schau in seine Augen. Empfinde die Gefühle nach, die dich in seiner Nähe erfüllten.

Und jetzt stell dir vor, wie sich sein Gesicht und seine Augen auflösen und in das Gesicht und die Augen des Großen Vaters verwandeln. Während du ihn anschaust, verblassen die Konturen seines Gesichtes und verschmelzen mit dem Gesicht des Großen Vaters. Spüre die Liebe, die dein Vater für dich empfindet. Vielleicht konnte er sie nicht zeigen, vielleicht hat er sie nie in Worten ausgedrückt, aber sei gewiß, er hat dich so geliebt, wie er zur Liebe fähig war. Vielleicht wußte er nicht, was das Beste war, aber er hat es versucht. Spüre, wie sehr er sich gewünscht hat, daß du weißt, wie er dich liebt, auch wenn er es nie hat zeigen können.

Spüre, wie deine Liebe zu ihm zurückströmt. Spüre, wie erfüllt dein Herz ist mit der Liebe des Großen Vaters. Spüre, wieviel Liebe du für deinen irdischen Vater empfindest und wie sehr du ihm dankst, daß er so sehr versucht hat, dich zu lieben. Spüre, wie sich deine Liebe über ihn ergießt. Spüre, wie sehr der Große Vater ihn liebt. Spüre, wie sich die Liebe des Großen Vaters mit dem Herzen deines Vaters vereinigt. Sieh, wie sein Herz in das Herz des Großen Vaters aufgenommen wird. Schau nur und danke, solange du willst. Freue dich zu sehen, wie dein Papa und der Große Vater eins werden.

Jetzt gehe zurück deiner Kindheit. Wenn es Szenen gibt, wo du schlechte Erfahrungen mit Männern gemacht hast, die du dir noch einmal anschauen möchtest, spüre den Schrecken, den sie dir bereitet haben. Dann bitte den Großen Vater, zu dir zu

*kommen. Du spürst seinen Frieden und sein Wohlwollen. Du
weißt, er wird immer für dich da sein.*

*Stell die Kassette solange ab, bis du alle die Männer aus deiner
Kindheit in der Erinnerung hast auferstehen lassen. Du kannst
die Kassette wieder anstellen, wenn du bereit bist weiterzuma-
chen.*

****

*Wenn du dir die Szenen aus deiner Kindheit zurückgerufen
hast, die du noch einmal erleben wolltest, denke an die schönste
Erfahrung, die du jemals in deinem Leben mit einer Frau gemacht hast.*

*Erinnere dich an die Zeit, als du sehr jung und mit einer Frau
zusammen warst, die du einfach wunderbar fandest. Erinnere
dich daran, wie scheu du in ihrer Gegenwart warst. Erinnere
dich daran, wie schön und anmutig sie dir erschien. Erinnere
dich daran, wie gut sie andere Menschen behandelt hat. Erinnere
dich daran, wie wohl sich das Kind, das du damals warst, in ihrer
Gegenwart gefühlt hat. Halte dieses Gefühl fest. Bewahre es in
deinem Herzen und in deiner Erinnerung.*

*Jetzt stell dir einen Lichtstrom vor, der vom Kosmos auf den
Kopf dieser Frau scheint und ihren ganzen Körper mit strahlendem Licht erfüllt. Sie wird schöner und schöner, während sich
das Licht von oben auf sie herabgießt. Ihr Gesicht, ihre Augen,
ihr Haar, ihr Körper – alles ist strahlende Schönheit.*

*Jetzt sieh, wie ihre Augen auf dich, das Kind, schauen. Es sind
die Augen der Göttlichen Mutter. Du spürst die Wahrheit
dessen, was sie ist, du spürst absolutes Vertrauen in ihren Geist.
Du spürst, wie geborgen du dich in ihrer Gegenwart fühlst.
Verankere dieses Gefühl ganz fest in deinem Herzen.*

*Wenn dies geschehen ist, laß das Bild verschwinden und schau
dir wieder den Film deines Lebens an. Nimm eine Zeit heraus,
in der du als kleines Kind ein schreckliches Erlebnis mit einer
Frau gehabt hast. Stell dir die Szene ganz genau vor. Erinnere
dich in allen Einzelheiten an das, was geschah. Rufe dir jedes*

Detail der Szene ins Gedächtnis und wie schlimm es war. Erinnere dich daran, wie miserabel du dich gefühlt hast.

Und jetzt sieh, wie die Große Mutter aus dem Kosmos herabsteigt. Und während sie zu dir kommt, ist der Ort, wo du bist, mit strahlendem Licht erfüllt. Sie bringt Gelöstheit, Freude, Vollkommenheit mit. Du schaust sie an und spürst, wie das schreckliche Gefühl in deinem Herzen schwindet. Sie streckt die Hände aus, um deine zu nehmen, sie schaut dich an – voller Liebe. Du spürst, wie dein Herz vor Freude springt, bei ihr sein zu dürfen.

Und jetzt schau zurück, wo die schreckliche Frau war, aber sie löst sich im Licht der Göttlichen Mutter auf. Deine Angst ist verflogen, und du gehst auf sie zu; aber dort ist nichts mehr – außer einem Schatten. Du gehst ganz einfach durch die Stelle hindurch, wo vorher sie war. Nichts ist mehr von ihr übrig. Du schaust hinauf in die Augen der Göttlichen Mutter, und du weißt, sie wird immer für dich da sein, wann immer du sie brauchst. Du weißt, ihre Wahrhaftigkeit wird alle Falschheit vertreiben, und du kannst die Große Mutter rufen, die Verkörperung der Wahrhaftigkeit, wann immer du über irgendetwas im Zweifel bist. Wisse, du kannst dieses Gefühl jederzeit zurückholen, wenn du es brauchst.

Jetzt geh zurück und suche ein Bild, das deine irdische Mutter zeigt: eine Fotografie, eine Szene, vielleicht sogar einen Gegenstand. Suche etwas, was für dich der Inbegriff deiner Mutter ist. Jetzt vergegenwärtige dir die Gefühle, die du mit diesem Bild deiner Muttrer verbindest. Laß sie voll und ganz zu. Fühle, was du für sie gefühlt hast, als du ein Kind warst. Erinnere dich, wie sie zu dir war.

Wenn du dieses Bild deiner irdischen Mutter in deinem Herzen ganz fest verankert hast, stell dir vor, wie dieses Bild von hinten her zu leuchten beginnt. Das ganze Bild wird hell, es glüht vor Licht. Durch das Bild deiner Mutter hindurch scheint das Licht der Großen Mutter. Spüre erneut, wie sehr dich die Große Mutter liebt. Spüre, wie sich ihre Liebe durch das Bild deiner Mutter ergießt. Spüre den Geist, der die Wahrhaftigkeit der Göttlichen Mutter verkörpert. Male dir aus, wie die Göttli-

che Mutter und deine irdische Mutter zu einer Person verschmelzen.

Verbringe nun einige Zeit in Gedanken an deine irdische Mutter. Siehe, wie hart sie sich bemüht hat, trotz all ihrer Belastungen. Siehe, wie das Licht von innen heraus wirklich leuchtet, obwohl es so lange Zeit verschüttet war. Laß das Licht in dir sich mit ihrem Licht verbinden – und sieh, wie sich die beiden Lichter gegenseitig verstärken.

Wenn du eine Weile mit dem wahren Geist deiner Mutter verbracht hast, gehe zurück zum Film deiner Kindheit. Erinnere dich an alle schlechten oder schlimmen Zeiten, die du mit erwachsenen Frauen erlebt hast. Tauche ganz ein in diese Zeiten. Dann rufe das Licht der Göttlichen Mutter herbei. Laß sie in dieser Situation bei dir sein. Laß erneut die Gefühle zu, die du in ihrer Gegenwart empfindest.

Wenn du dir alle die Situationen angeschaut hast, die du sehen wolltest, werde dir deines leuchtenden Verbindungsstrahls nach oben zum Licht bewußt. Spüre, wie das Licht vom Kosmos zu dir hinabströmt. Stell dir vor, wie sich die Essenz der göttlichen Mutter und des göttlichen Vaters mit diesem Licht in dich ergießt. Laß den Geist der Göttlichen Mutter in deinem Herzen Wurzeln schlagen. Suche für den Geist der Göttlichen Mutter einen Platz in deinem Herzen und laß ihn dort wohnen. Dies ist der heilige Platz, an den du immer zurückkehren kannst, wenn du in Gedanken bei der Großen Mutter sein möchtest.

Spüre, wie dich der Geist des Göttlichen Vaters erfüllt, während das Licht von oben herabströmt. Laß den Geist des Göttlichen Vaters in deinem Herzen Wurzeln schlagen. Suche eine Stelle in deinem Herzen, die nur dem Göttlichen Vater gehört. Laß den Geist des Göttlichen Vaters dort wohnen und die Erinnerung kommen, wann immer du IHN brauchst. Denke an diesen heiligen Platz, wo Gott der Vater auf ewig in dir lebt.

Und während du die Intensität dieses Gefühls festhältst, warte einige Augenblicke und laß den Geist des Göttlichen Vaters und der Göttlichen Mutter auf die Menschen strahlen, von denen du weißt, daß sie es besonders nötig haben. Denke an Freunde und Verwandte, die nicht mit dem Geist des Göttlichen Vaters oder

der Göttlichen Mutter – oder mit beiden – verbunden sind, und male dir aus, wie deine Strahlung sie als gleißender Strom trifft, wo auch immer sie auf diesem Planeten sein mögen. Die Entfernung spielt keine Rolle, Sieh, wie das Licht ihre Herzen berührt, wie der Geist der Göttlichen Mutter und des Göttlichen Vaters in sie hineingeblasen wird. Segne sie mit deiner Energie. Bade sie in deiner Liebe. Wenn dies geschehen ist, laß das Strahlungsmuster zur Ruhe kommen. Spüre, wie auch dein Geist ruhig wird. Der Glanz um dich wird gleichmäßig und beständig. Werde dir deiner Atmung bewußt. Spüre, wie dein Atem hinein- und hinausgeht. Wenn du bereit bist, öffne die Augen.

Bewahre dieses Gefühl den ganzen Tag. Versuche, den Geist des Göttlichen Vaters oder der Göttlichen Mutter auf die Menschen, die du triffst, zu übertragen. Gehe zurück zu diesen beiden besonderen Plätzen in deinem Herzen, wann immer du es möchtest.

****

Grenzenlose Gnade für grenzenlose Heilung

Wir können den vollkommenen Vater und die vollkommene Mutter in unserer eigenen Psyche, in unserem eigenen Leben neu schaffen. Wir brauchen uns nicht durch die unvollkommenen Stereotypen beeinflussen zu lassen, die wir uns aus persönlicher Erfahrung und der Meinung der Massen geschaffen haben. Einige von uns haben in der Kindheit Schlimmes erlebt oder Erfahrungen gemacht, die nicht kindgemäß waren – oder aber sie haben überhaupt nicht erfahren, was wahre irdische Eltern sind. Dort, wo in unserer Psyche diese lebensschaffenden Symbole sein sollten, ist ein Vakuum. Wenn dieses Vakuum bleibt, wird uns das Leben keine Erfüllung bringen. Das bedeutet jedoch nicht, daß wir diese Grundsteine für unser Leben nicht noch nachträglich legen könnten. Wir brauchen nicht den Rest unseres Lebens ohne die Große Mutter und ohne den Göttlichen Vater auskommen und mit der schädlichen Wirkung dieses Mangels auf unsere persönlichen Beziehungen zu leben. Wir können die psychischen Kratzer, die wir als Kind bekommen haben, in unserem Bewußtsein löschen, damit wir sie nicht auf unsere eigenen Kinder übertragen. Wir können geheilt werden!

Der Göttliche Vater und die Göttliche Mutter existieren im Geist, auch wenn sie in unserem Bewußtsein nicht als Form existieren. Wenn wir beginnen, im Geist zu leben, haben wir plötzlich Zugang zu den Dingen, die uns als Form fehlen. Und wenn das Spirituelle stärker und schließlich zur Gewohnheit wird, also zur ersten Natur – dann beginnt der Geist die Form auszufüllen. Die traurigen Stellen in unserer Erfahrung werden getröstet. Die schwachen Stellen werden stark. Aus Klagen wird Freude. An die Stelle von Kummer und Mangel treten Frieden und Erfüllung. Wir sind neu geschaffen, neu erschaffen im vollkommenen Bild des Lebens, während wir der Liebe und der Wahrheit ganz nahe sind. Wir können völlig geheilt werden. Das heißt nicht, einfach nur ‚zusammengeflickt‘ werden, um weiterhin zu ‚funktionieren‘. Es heißt: die wunderbare Erfüllung des Lebens zu finden. Die alten Kratzer in Herz und Gemüt verschwinden. Unser innerstes Sein wird transformiert. Wenn wir mit dem Göttlichen Vater und der Göttlichen Mutter im Geist vereint leben, dann reicht ihre Präsenz hinunter bis zu uns und verwandelt unser Leben, unsere Arbeit, unsere Beziehungen. Wenn du als Kind diese Vorbilder durch Erwachsene nicht gehabt hast – der Geist kann sie schaffen. Der Geist kann alles überwinden.

Wenn wir geheilt sind und lernen, unseren Weg als spirituell verantwortliche und reife Erwachsene zu gehen und unser Leben in diesem Sinne zu leben – dann suchen wir instinktiv nach Gelegenheiten, unseren Geist auf andere zu übertragen. Und wenn dies bei uns normal und natürlich wird, also zur Gewohnheit, dann ist die Wirkung auf die Menschheit gewaltig.

Göttliches Vorbild für das Kind

Mythen sind die gemeinsame Erinnerung der Spezies Mensch.

Wenn wir als Held und Heldin leben, wenn wir dort, wo wir wirken, das Göttliche in uns zum Ausdruck bringen, dann verstärkt das durch unser Tun entstandene Energiefeld das gesamte Energiefeld bei anderen, ähnlichen Dingen, die auf unserem Platenen geschehen. Damit schaffen wir zusammen mit anderen die neuen Mythen, die Mythen der geheilten Menschheit in ihrer wahren Einheit mit Gott. Wenn viele Menschen ihre eigene Realität verändern, wird die Realität des Ganzen geändert, und die Erde kehrt noch einmal zu ihrem Schöpfer zurück.

Wenn wir als Menschen die Verantwortung dafür übernehmen, noch einmal geboren zu werden, dann geben wir unseren Kindern das Geschenk der unbefleckten Empfängnis. Sie werden nicht mehr einfach nur aus dem Erbgut der Menschheit geboren. Wenn wir zulassen, mit Gott eins zu werden, lassen wir zu, daß unsere Kinder aus der Vereinigung von Geist und Fleisch geboren werden – die Frucht der Verbindung von Gott und Mensch.

---

* Gorgo - weibliches Ungeheuer in der griechischen Sage mit Schlangenhaaren, dessen Blick versteinernd wirkte.

15

Spirituelle Beziehungen

Das vorhergehende Kapitel zeigt: Die Heilung des Kindes beginnt mit der Heilung der Eltern. Damit die Eltern aber überhaupt ihrem Kind Ganz-Sein geben können, müssen sie selbst ganz sein. Du kannst nur das weitergeben, was du selbst besitzt. Ein Kind zu erwarten, ist der Katalysator für die spirituelle Erneuerung in uns selbst. Wenn wir Betrachtungen zum Thema ‚Geburt' anstellen wollen, müssen wir uns erst einmal mit unserer eigenen Wiedergeburt beschäftigen.

Die Macht der spirituellen Beziehung

Ein Kind, das mit all seinen Anlagen neu in diese Welt geboren wird, ist eine lebendige Erinnerung daran, daß wir selbst einer Erneuerung bedürfen – es ist eine Aufforderung, unser eigenes Potential zu überdenken.

Die Tatsache, daß in einer spirituellen Beziehung die Substanz beider Eltern notwendig ist, um in der Welt das Klima für die Geburt des Geistes durch ein Kind zu schaffen, zwingt uns als Eltern, unsere Partnerschaft zu überprüfen.

Wie ist die Qualität unseres Zusammenseins? Steht für uns das Spirituelle an erster Stelle, oder hängen wir an der Welt der Materie? Beurteilen wir das Verhalten unseres Partners nach seinen Äußerlichkeiten – oder erkennen wir seine innere Essenz? Die Entwicklung eines Embryos ist das Symbol par excellence der Kreativität, die tief in unserem Inneren verborgen ist. Wenn wir den Geist unseres ungeborenen Kindes respektieren, so ist dies gleichzeitig Ausdruck unseres Wunsches, die heiligsten Bereiche in unserem eigenen Inneren zu respektieren.

Gerade in der Partnerschaft zwischen Mann und Frau finden sich die lebhaftesten Kontraste menschlichen Verhaltens. Sie inspirieren Menschen zu den edelsten – aber auch zu den miesesten Taten. Die Menschen sind durchaus in der Lage, sich bei gelegentlichen sozialen Kontakten ,anständig' zu benehmen – aber die Menschen in der direkten Umgebung, die mit ihnen Tag für Tag zusammenleben, sehen die Mängel, die anderen verborgen bleiben. Partnerschaft und Elternschaft gehen also bis zum Kern dessen, was wir wirklich sind – den Wurzeln unseres Seins.

Umgekehrt: wenn es uns gelingt, den Sieg über die dunklen Seiten unseres Lebens zu erringen, dann wird es Licht, und dieses Licht überstrahlt jeden anderen Bereich mit neuem Glanz. Wenn wir jedoch integer genug sind, um den Blicken derjenigen standzuhalten, die am häufigsten Gelegenheit haben, unser Versagen mitzuerleben, dann stehen wir wirklich groß da. In diesen Beziehungen kommen alle unsere verborgenen Schwächen zutage und sind somit eine sehr wertvolle Basis, Spiritualität praktisch zu leben.

Wenn du mit deinem Partner eine transzendente Beziehung lebst, dann wird sie auf der inneren wie auch auf der äußeren Ebene ein Quell starker Energie und Bestätigung sein. Paare, die ihre Lektionen gelernt haben und in Freude miteinander leben, besitzen magische Reichtümer, die unendlich wichtiger sind als jeder andere materielle Besitz.

In diesen Beziehungen geschieht die wahre spirituelle Arbeit, mit der die Erde wieder zu neuem Leben erweckt wird. Gerade dort beweisen wir den Grad unserer spirituellen Entwicklung. Nicht die Meister, Yogis, Prediger und Seminarleiter verrichten die große Arbeit der Erleuchtung. Sie geschieht durch die Menschen, die ständig mit dem

Alltag im Clinch liegen: die Menschen, die der Welt das Antlitz Gottes in ihren täglichen Handlungen offenbaren - die im Supermarkt mit Charme an der Kasse stehen, die Kugellager mit Heiterkeit schmieren, die bettlägerige Patienten im Geist der Liebe waschen, oder die beim Rasenmähen die Stimme Gottes im Ohr haben.

Liebenswürdigkeit

Die Qualität der meisten persönlichen Beziehungen ist kein Geheimnis. Sie mag für viele Menschen nicht sichtbar sein, aber sie ist ein Zeichen unseres Geistes. Es ist keine Kunst, zu einem Fremden nett zu sein. Aber wie trittst du deinem Partner frühmorgens gegenüber? Strahlst du Liebe, Annahme, Freude und Frieden aus? Bist du mit den ersten Worten am frühen Morgen eine Inspiration für die Welt? Sind die ersten Gedanken, die du in deinem Kopf zuläßt, Gedanken, die den Himmel auf die Erde herunterholen?

Elternschaft bringt alle diese Dinge auf den Punkt. Um ein spirituelles Nest für das Kind bauen zu können, muß unser eigener Geist rein und klar sein. Reine Schöpfung geschieht durch einen reinen Geist. Ein Geist, der vergiftet ist durch Vorurteile, Vorwürfe, Kritik und Anklage, wird auch die Handlungen vergiften, die durch ihn zu Materie werden. Vergiß nicht, erst kommt der Geist, dann die Materie. Materie spiegelt den Geist wider – glaube mir! Darum ist es auch zwecklos, Formen, die uns mißfallen, zu reinigen. Wenn wir dafür sorgen, daß der Geist, den wir aussenden, rein ist, dann wird auch das, was wir materiell schaffen, rein sein. Die Reinheit des Geistes wird hindurchscheinen.

Welche Eltern würden nicht wollen, daß das Licht des Himmels durch ihr Kind hindurchscheint? Eltern, die sich dafür entschieden haben, sind auch persönlich dafür verantwortlich. Das Licht des Himmels scheint nur dann durch ihr Kind, wenn es durch das reine Herz und den ruhigen Geist der Eltern hindurchscheinen kann. Und das bedeutet ein NEIN zu all den dunklen Dingen, die aus unserem Innern hochsteigen, das Licht verdunkeln und auf unsere Kinder einen Schatten werfen könnten.

Diese dunklen Dinge werden oft durch unsere intimsten persönlichen Beziehungen ausgelöst. Typisch dafür ist: Ehemänner und Ehefrauen sprechen miteinander in einem Ton, der sehr viel weniger einfühlsam ist als der, den sie anderen gegenüber an den Tag legen. Sie kritisieren sich gegenseitig aufs heftigste. Sie gestehen sich das Recht zu, den anderen so zu mißbrauchen, wie sie es in keiner anderen Beziehung dürften. Sie sind kurz angebunden, abweisend und Änderungen gegenüber stur wie ein Panzer. Oft sind sie die ersten, die gegen die weitere Entwicklung des anderen rebellieren und die letzten, die sie überhaupt bemerken.

Es ist mehr als paradox, aber in der Beziehung mit denen, die wir angeblich am meisten lieben, ist das Furnier der Höflichkeit am dünnsten. Zu unserem Partner sind wir meistens unhöflicher als zu jedem anderen. Und dabei behaupten wir doch, ihn am meisten zu lieben! Wenn man Nähe nach der Art beurteilen wollte, wie wir miteinander umgehen – ein objektiver Beobachter würde schließen, daß unser Ehemann oder unsere Ehefrau der Mensch ist, den wir am wenigsten lieben!

Das ist auch der Grund, warum diese Beziehungen der fruchtbarste Boden für spirituelle Erneuerung sind. Es ist kein Zufall, daß es genau diese Menschen sind, die uns am nächsten stehen, und es ist auch kein Zufall, daß es gerade diese Menschen sind, mit denen wir die meiste Zeit verbringen: Hier muß wahre, tiefe, spirituelle Arbeit getan werden! Der Kosmos hat das Leben so eingerichtet, daß wir die härtesten Voraussetzungen in unseren ganz nüchternen Beziehungen finden, um an ihnen wachsen zu können. Wir brauchen nicht den Himalaya bis Lhasa hinaufzuklettern. Wir brauchen auch nicht die Stationen des

Kreuzwegs zu gehen. Unsere Heiligkeit zeigt sich darin, wie wir unsere Angehörigen behandeln.

Unsere heiligsten Beziehungen sind nicht die, die wir mit Gurus, Schamanen, Priestern oder Pastoren haben. Unsere heiligsten Beziehungen sind die, die wir mit unseren Partnern haben. Sie geben uns in der Praxis die Chance, vollkommen zu werden. Sie geben uns konstant die Gelegenheit, unsere kleinlichen Gefühle zu transzendieren. Sie geben uns genügend Raum, uns als die Lichtwesen des Geistes zu manifestieren, die wir eigentlich sind. Wenn wir unser Licht in diesen Beziehungen konstant zum leuchten bringen, dann sind wir wirklich von Licht erfüllt.

Wie geschieht dies? Durch freie Entscheidung.

Entscheidung für die Liebe

Wir entscheiden uns jetzt. Nicht in der Zukunft! Die Zukunft ist die Summe aller von uns heute geschaffenen Augenblicke. Wenn wir jetzt Licht sind, dann werden wir Licht für die Zukunft sein. In einer Situation, in der wir üblicherweise dazu neigen, die Zähne zu zeigen – entscheiden wir uns dafür, unseren Heiligenschein an den Tag zu legen. Jedesmal, wenn wir instinktiv nach einem geliebten Menschen schlagen wollen, entscheiden wir uns, ihn zu lieben.

Diese Liebe liegt schließlich in jedem von uns. Liebe ist der wahrhaftigste Teil von uns. Sicher werden in unseren Herzen auch Bitterkeit und Angst wohnen, aber sie herauszulassen, bestärkt nur die alte Verhaltensweise. **Jedesmal, wenn wir uns für die Liebe – und gegen die Angst – entscheiden, bestärken wie die Macht der Liebe.** Die Summe all dieser Entscheidungen macht unseren Charakter aus.

Vielleicht sind negative Gewohnheitsmuster tief verwurzelt. Zum Glück brauchen wir unsere schlechten Angewohnheiten nicht sofort beiseitezulege. Wir haben es nur mit diesem einen konkreten Augenblick zu tun. Jedesmal, wenn wieder eine bestimmte Gewohnheit zu Tage tritt, haben wir die Chance, uns in diesem einen Moment für das Bessere zu entscheiden.

Entweder sagen wir: „Ja, ich werde niederknien und den Gott der Gewohnheit anbeten, indem ich ihm nachgebe", oder wir sagen, „Ich kenne diesen Fehler, ich weiß, er ist ein Teil von mir. Aber ich weiß auch, daß ich im Kern ein Engel bin. Ich entscheide mich dafür, den Engel zu offenbaren."

Was wir herzeigen, ist unsere freie Entscheidung. Und mit der Zeit werden wir selbst zu dem, was wir offenbaren. Die Dinge, die wir hochkommen lassen, formen uns. Wenn wir uns in jedem Augenblick für den Engel entscheiden, dann geht diese Entscheidung in Fleisch und Blut über, dann wenden wir uns in jeder Situation gleich dem Himmel zu, denn dann haben wir vergessen, wie man den negativen Emotionen frönt, die einst unser Kapital waren. Die Summe einer Unzahl von konkreten Augenblicken wird zu Wochen, Jahren – zu unserem ganzen Leben.

Wenn wir uns für den Kosmos als den Quell unserer Handlungen entscheiden, bringen wir den Himmel auf die Erde. Wir identifizieren uns mit dem Kosmos. Wenn wir das alte Verhalten aufgeben,, dann werden wir eins mit dem Kosmos, und dann bedeutet ,Himmel' nicht mehr ein Ort, zu dem wir nach dem Tode gelangen, sondern die Substanz für die Realität unseres Alltags. Jeder Tag ist voll von Gelegenheiten, den göttlichen Willen zu offenbaren. So geben wir dem Schöpfer ,seine' Erde zurück.

Weitere Titel aus der Reihe „Bewußt-Sein" ... ⟶

DION FORTUNE
Durch die Tore des Todes ins Licht

Tod ist eine universelle Erfahrung, der niemand entgehen kann. Früher oder später trifft der Tod jeden von uns und die, die wir lieben. Was aber macht diesen natürlichen Vorgang so furchtbar? Die meisten Sterbenden schlafen doch ganz friedlich ein, wenn ihre Zeit gekommen ist. Warum also fürchten wir uns vor dem Tod, was macht uns so viel Kummer und Angst?

Durch dieses Buch von einer der anerkanntesten spirituellen Persönlichkeiten des 20. Jahrhunderts gewinnen wir Verständnis und Zugang zu dem, was wirklich geschieht, wenn sich die Seele endgültig vom physischen Körper löst. Die Autorin enthüllt all ihr geheimes Wissen, das der höchsten Stufe der ägyptischen Mysterien entspricht.

Durch die Tore des Todes ins Licht bringt all jenen Trost, die einen geliebten Menschen verloren haben.

Ca. 64 Seiten, broschiert, DM 15,–

ISBN 3-926374-13-6 (erhältlich ab August 1990)

DION FORTUNE's
Handbuch für Suchende

enthüllt die vielen kleinen magischen Riten, die jeder von uns ausüben kann, um mit den alltäglichen Problemen des Lebens besser umgehen zu können.

Dion Fortune lehrt diese Dinge nicht wie Kochrezepte, sondern erklärt die okkulten Prinzipien, auf denen sie beruhen, so daß jeder, der sie anwenden möchte, dies mit „Verstand" tun kann.

Themen wie Gedankenkraft, Karma, Reinkarnation und Magnetismus in der Weltanschauung einer der bedeutendsten spirituellen Persönlichkeiten des 20. Jahrhunderts.

Ca. 80 Seiten, broschiert, DM 15,–

ISBN 3-926374-19-5 (erhältlich ab August 1990)

Ken Carey

SternenBotschaft

Das geeinte Bewußtsein	Der Tanz des Lebens
Die andere Wirklichkeit	Planetarische Symphonie
Der Schatten zukünftiger Schöpfung	Inseln der Zukunft
Ein Augenblick der Ewigkeit	Die lebendige Botschaft
Bewegliche Städte aus Licht	Belehrungen des Geistes
Ein psychischer Prozeß	Ein offenes Ende und ein neuer Anfang

ch. falk-verlag

ISBN 3-924161-08-9

Ken Carey

Vision

Der Schöpfer und die Erde	Nationen im Übergang
Die heilige Wirklichkeit erwacht	Die Rückkehr des Gärtners in seinen Garten
Das heilige Herz	Wie es werden könnte
Die Erwachten	Das Jahrtausend vor der Abreise
Die große Trennung	Das Zeitalter der Entdeckung
Heilung der Nationen	Das enthüllte Mysterium

—das Buch von der Zukunft—

ch. falk-verlag

ISBN 3-924161-09-7